Sylvie Catulle.

MAREK HALTER

Marek Halter est né en 1936 à Varsovie, en Pologne, d'une mère poétesse yiddish et d'un père imprimeur. Sa famille fuit le ghetto de Varsovie en 1940, pour chercher refuge à Moscou, puis en Ouzbékistan. En 1946, il retourne en Pologne avec ses parents et, quatre ans plus tard, la famille obtient un visa et arrive à Paris. À 17 ans, Marek Halter est admis à l'École nationale supérieure des beaux-arts, et reçoit l'année suivante le prix international de peinture de Deauville. En 1967, il fonde et préside le Comité pour la paix négociée au Proche-Orient.

Il publie son troisième livre, *Le fou et les rois* (prix Aujourd'hui 1976), après deux albums de dessins (*Mai 68* et *Le quotidien*). En 1983, *La mémoire d'Abraham* (prix du Livre Inter), dont la suite, *Les fils d'Abraham*, paraît en 1989, connaît un succès mondial. Le dernier tome de sa trilogie consacrée à la modernité des femmes de la Bible (*Sarah, Tsippora* et *Lilah*) est paru en 2004 aux Éditions Robert Laffont. Il est également l'auteur d'une douzaine de romans, de récits et d'essais, et réalise depuis 1968 des documentaires et des films, dont *Tzedek, les Justes*.

Marek Halter collabore à de nombreux journaux dans le monde et milite sans relâche pour les droits de l'homme, la mémoire et la paix.

D1413154

LILAH

MAREK HALTER

La Bible au féminin

***

LILAH

ROBERT LAFFONT

© Éditions Robert Laffont, S.A., Paris, 2004
ISBN 2-266-14616-5

Et l'Éternel dit :
« Il n'est pas bon
que l'Adam soit seul,
je vais lui faire
une aide en face. »
Genèse 11, 18.

« S'il mérite,
c'est une aide,
sinon,
elle est contre lui. »
*Midrach Rabbah
sur Genèse 11, 18.*

Moins de dogmes, moins de disputes ;
et moins de disputes, moins de malheurs :
si cela n'est pas vrai, j'ai tort.

La religion est instituée pour nous rendre heureux
dans cette vie et dans l'autre.
Que faut-il pour être heureux dans la vie à venir ?
Être juste.

Pour être heureux dans celle-ci,
autant que le permet la misère de notre nature,
que faut-il ?
Être indulgent.

Voltaire : *Traité sur la tolérance Chap. XXI*

Prologue

Antinoès est de retour.

Mon cœur tremble.

Ma main tremble. Je serre fort le calame entre mes doigts pour que l'encre de camphre dépose des mots lisibles sur le papyrus.

Antinoès mon bien-aimé est de retour !

Hier soir, la tunique et les sandales empoussiérées, un messager a apporté une tablette de cire.

J'ai reconnu dans l'instant l'écriture de mon aimé.

La nuit a été sans sommeil. Me tournant et me retournant sur ma couche, je serrais la tablette contre ma poitrine comme si les mots pouvaient passer dans ma chair.

Lilah ma douce, mon amante, dans trois jours et trois nuits, je te reviens. Compte les ombres du soleil. Je te reviens plus noble, plus victorieux ! Et cependant, tant que je ne te tiendrai pas dans mes bras, tant que mes lèvres ne se seront pas rassasiées du parfum de ta chair, je n'aurai, de ces deux années de séparation, rien accompli.

Mon cœur bat plus qu'avant un combat. Bientôt, par la volonté de ton Dieu du ciel et celle du puissant Ahura-Mazdâ, le dieu des Perses, nous serons enfin mari et femme.

Toute la nuit mon cœur a bu les mots d'Antinoès.

Si je ferme les yeux, je les lis au-dedans de moi. Si je veux les oublier, j'entends la voix de mon aimé qui les chuchote à mon oreille.

C'est ma folie. Et si je tremble, c'est aussi de crainte.

Ce devrait être l'heure de la paix. La nuit s'éloigne. Tout est silencieux dans la maison. Les servantes ne sont pas levées, les feux ne fument pas encore. La lumière de l'aube est aussi blanche que le lait qui dissimule, dit-on, les poisons de mort dans les festins du Roi des rois.

Mari et femme, c'était notre promesse. Antinoès et Lilah !

Promesse d'enfant, promesse d'amant !

Je me souviens du temps où nous étions comme les doigts d'une seule main. Antinoès, Ezra et Lilah. Quand on voyait l'un, on voyait les autres. Garçons et fille ensemble. Fils de puissant coutumier des repas du Grand Roi ou enfants juifs de l'exil, peu importait.

Les toits de Suse-la-Ville résonnaient de nos rires. Quand notre mère nous appelait, nous n'entendions qu'un seul cri : Antinoès, Ezra et Lilah !

Puis la voix de ma mère s'est tue.

La voix de mon père s'est tue.

La maladie tuait dans Suse-la-Ville. Elle tuait dans les champs le long de la Chaour, elle tuait jusqu'à Babylone. Les pauvres et les riches, ceux de Perse comme ceux de Sion, de Lydie ou de Médie.

Je me souviens de ce jour où Ezra et moi, le corps à sec de larmes, nous nous sommes tenus devant le visage de notre mère et de notre père que la mort venait d'endormir.

Nos mains étaient soudées à celles d'Antinoès. Notre peine était la sienne. Nous nous tenions fermement, trois devenus un, ainsi qu'un animal bizarre dont les membres ne pouvaient plus être désassemblés.

Je me souviens de ce jour d'été brûlant où Antinoès nous conduisit dans sa magnifique demeure. À son père, il déclara :

— Mon père, voici ma sœur Lilah, voici mon frère Ezra. Ce qu'ils mangent, je le mange. Ce qu'ils rêvent, je le rêve. Mon père, accepte-les dans notre maison aussi souvent qu'ils voudront y venir. Si tu le refuses, sache que je n'aurai alors plus d'autre toit que celui de leur oncle Mardochée qui les a recueillis, car ils n'ont plus ni père ni mère.

Le père d'Antinoès rit tout son saoul. Il appela les servantes pour qu'elles apportent des fruits et du lait de vache. Le ventre rebondi, nous nous sommes précipités dans les grands bassins de la maison pour nous y rafraîchir. Les enfants n'ont de gourmandise que pour les bonheurs !

Plus tard, dans les jours redevenus légers, Ezra s'écriait : « Mon frère Antinoès ! » Antinoès répondait : « Mon frère Ezra ! » L'un et l'autre se forgeaient les mêmes glaives, les mêmes arcs, les mêmes javelots dans l'atelier de l'oncle Mardochée.

Ô, Yhwh, pourquoi cessons-nous d'être des enfants ?

Je me souviens du jour où les jeux ont cessé, où les rires ont tremblé sous les caresses.

Antinoès, Ezra et Lilah. Hommes et femme. Une ombre nouvelle dans les yeux, un silence nouveau sur les lèvres. La beauté des nuits sur les toits de Suse, la beauté des étreintes, le plaisir des corps qui s'enflamment comme l'huile de lampe trop longtemps chauffée.

Trois devenus un, c'en était fini. Lilah et Antinoès. Lilah et Ezra. Antinoès et Ezra. Amant et amante, frère et sœur, fureur et jalousie.

Je me souviens, ma mémoire roule son tumulte comme la Chaour roule ses eaux sombres à la saison des pluies.

Les servantes sont debout maintenant. Les feux s'allument. Bientôt, il y aura des rires et des appels. Ce pourrait être un beau jour, piquant d'espoir et de promesses.

Tandis que j'écris, mon visage se reflète dans le miroir d'argent au-dessus de l'écritoire. Antinoès dit qu'il est beau. Que ma jeunesse est un parfum de printemps.

Antinoès m'aime et me désire, et il aime les mots qui disent son amour et son désir.

Moi, je ne vois dans le miroir qu'un front plissé et des yeux inquiets. Est-ce ce visage, cette beauté soucieuse et triste qui vont accueillir mon bien-aimé à son retour ?

Ô Yhwh, écoute la plainte de Lilah, fille de Serayah et d'Achazya, moi qui n'ai d'autre Dieu que celui de mon père.

Antinoès n'est pas fils d'Israël, mais il est fidèle à sa promesse. Il me veut pour lui seul, comme un époux doit vouloir son épouse.

Ezra me dira : « Ah, voilà, tu m'abandonnes ! »

Yhwh, n'est-ce pas Ta volonté que l'enfance quitte nos corps ? Que nous devenions hommes et femmes, chacun avec son souffle, sa force et le bonheur de ses sens ? N'est-ce pas Ta volonté que la caresse de l'homme ravisse la femme ? N'est-ce pas Ta Loi que la sœur trouve d'autres yeux à aimer que ceux de son frère, qu'elle écoute et admire une autre bouche que celle de son frère ? N'est-ce pas Ton enseignement que la femme choisisse un époux selon son cœur ainsi que l'ont fait Sarah, Rachel et Tsippora, épouses d'Abraham, de Jacob et de Moïse ?

14

Que je sois fidèle à l'un ou fidèle à l'autre, la douleur de l'un ou de l'autre sera aussi violente.

Pourquoi dois-je engendrer la douleur puisque dans mon cœur le frère et l'amant tiennent la même place ?

Ô Yhwh, Dieu du ciel, Dieu de mon père, donne-moi la force de trouver les mots qui apaiseront Ezra ! Donne-lui la force de les entendre.

Première partie

Frères et sœur

Les toits de Suse

Dans son message, Antinoès n'avait pas précisé le lieu de leur rencontre. C'était inutile.

À l'approche du sommet de la tour, le cœur de Lilah se mit à battre de plus en plus fort. Elle s'arrêta, la main sur son ventre, cherchant son souffle, fermant les paupières.

L'escalier étroit et obscur n'y était pour rien. Son corps en avait retrouvé l'élan sans effort. Elle en avait tant de fois escaladé les marches de brique que ses pieds y retrouvaient leur place naturellement. Non. Ce qui lui coupait le souffle, c'était de savoir qu'Antinoès pouvait être là-haut, sur la terrasse, à l'attendre.

Dans un instant, elle allait revoir son visage. Entendre sa voix. Retrouver la douceur de ses yeux et de sa peau.

Avait-il changé ? Un peu ? Beaucoup ?

Elle avait souvent entendu les plaintes des femmes assurant que leurs hommes revenaient des batailles comme des étrangers. Leurs corps n'avaient pas besoin de blessures pour que leurs esprits deviennent plus durs, plus indifférents.

Mais elle n'avait rien à redouter. Les mots du message d'Antinoès disaient assez que celui qui les avait écrits n'avait en rien changé.

Elle replaça la fibule d'or et d'argent qui retenait son voile à la belle étoffe de sa tunique, rajusta sa ceinture incrustée de nacre. Ses bracelets s'entrechoquèrent. Leur cliquetis résonna comme des clochettes contre le mur borgne de la tour.

Légère, le sourire aux lèvres, Lilah gravit la dernière volée de marches. La porte de la terrasse était ouverte. Le soleil couchant l'éblouit. Elle se protégea les yeux de la main.

Personne.

Elle pivota sur elle-même, balayant d'un regard la petite terrasse.

Aucune bouche ne prononça son nom.

Aucun cri d'impatience ne la salua.

La déception lui pinça le cœur.

Puis un sourire l'apaisa. Elle se comportait comme une enfant.

Sous le dais qui abritait la majeure partie de la terrasse, d'épais coussins entouraient une table basse surchargée de coupes de fruits, de gâteaux, de cruches d'eau fraîche et de bière. Un grand vase de céramique rouge contenait un énorme bouquet de roses pâles et de lilas d'Orient, ses fleurs préférées.

Sa déception s'effaçait. Non, Antinoès n'avait rien oublié. La guerre et les batailles ne l'avaient pas changé.

Pour leur première nuit d'amour, il avait recouvert leur couche des pétales de roses du jardin de son père. La chaleur de l'été était accablante. Elle n'avait pas empêché Antinoès de frissonner, tant était grand son désir.

Ce soir, cette première nuit semblait à Lilah à la fois très proche et très lointaine. Tant de choses étaient advenues depuis...

Croquant lentement des grains de raisin que la lumière du crépuscule rendait transparents, Lilah s'accouda au parapet qui cernait le haut de la tour. À cette heure où la nuit s'approchait comme une caresse, rien n'était plus splendide que la vue depuis cette terrasse.

Surplombant le fleuve Chaour d'une centaine de coudées, se dressaient les falaises et les murs immenses de la Citadelle. Clôturant la cour royale que l'on appelait l'Apadana, des colonnades de marbre, sculptées en Égypte et transportées par des milliers d'hommes et de mules, reflétaient le soleil comme des flammes d'airain. Des terrasses de marbre plus vastes encore que le palais l'entouraient. Des sculptures géantes, taureaux, lions et monstres ailés, en étaient les gardiens. Des escaliers si larges et si hauts que la population entière de la ville aurait pu s'y tenir y conduisaient. Peu cependant étaient autorisés à les gravir.

Au pied des falaises, les palais de la ville royale ceignaient la Citadelle d'un écrin compact. Les jardins y étaient nombreux. Dans un ultime éclat, les rayons du soleil reflétés par les méandres paresseux de la Chaour venaient y mourir, s'éteignant dans le frissonnement touffu des cèdres et des eucalyptus.

Une muraille de brique, percée de petites fenêtres carrées, flanquée de hautes tours crénelées, ici ou là rouges, orangées ou bleues, cernait encore la ville royale et la séparait des rues affairées. Des rues serrées entre les toits plats, blanchis de chaux, aussi rectilignes que si elles avaient été taillées au glaive. Elles s'étendaient loin vers l'est, le nord et le sud. Lilah n'en devinait que les tranchées sombres et populeuses d'où montaient encore les bruits de la vie. La foule devait s'y presser alors que l'on rabattait les auvents des échoppes.

Le jardin et la maison d'Antinoès occupaient une bande rectangulaire dans le quartier riche des patriciens, tout près de la ville royale. Le jardin était ancien et opulent. Les palmiers et les cyprès bordant l'allée principale, qui conduisait du mur d'enceinte à la maison, se dressaient, élégants, aussi hauts que la tour elle-même.

Lilah tendit l'oreille et s'immobilisa.

Le crépuscule allongeait déjà les ombres. Elle guetta la porte ouvrant sur l'escalier.

Il y avait eu à peine un frottement. Mais elle savait qu'il était là.

Elle appela :

— Antinoès ?

Un visage sortit de la pénombre. Ce visage qu'elle avait tant de fois évoqué dans ses songeries. Le nez busqué, un peu large, les narines bien dessinées, la bouche ourlée et tendre, les sourcils arqués et les paupières fendues sur un regard qui la fit frissonner.

Il prononça son nom tout doucement :

— Lilah !

Il portait la tunique courte à longues manches des guerriers de Perse. Pourpre et semée de larges cercles fauves, elle lui moulait le torse. Un pantalon du même tissu couvrait étroitement ses jambes jusqu'aux chevilles. Les lanières de ses sandales remontaient haut sur ses mollets. Une tête de lion aux reflets d'or décorait la boucle de sa ceinture large d'une main. Trois chaînes, argent, or et bronze la reliaient à une broche en forme de tête de taureau agrafée sur son épaule droite. Un ruban de feutre brodé d'un filet d'or enserrait sa longue chevelure huilée et parfumée. Un sourire éclatant brillait dans sa barbe finement tressée.

Il répéta son nom, cette fois riant et presque en criant :

— Lilah ! Lilah !

Lilah se mit à rire à son tour. Il lui tendit les mains, les paumes levées. Elle s'avança, un peu raide, lente. Elle posa ses paumes sur les siennes. Les mains d'Antinoès brûlaient. Il les referma sur les siennes et ce fut comme s'il l'enlaçait.

Un éclat du soleil couchant dansa dans les iris d'Antinoès. Sans bien se rendre compte elle murmura :

— Tu es là !

Il leva leurs mains enlacées jusqu'à ses lèvres. Il riait encore, silencieusement, comme s'il n'avait déjà plus de souffle. Un rire de caresse et de pure joie qui les enveloppa et les emporta.

Leurs mains se dénouèrent pour qu'ils puissent mieux s'étreindre. Le rire fut emporté par les baisers. Les baisers furent emportés par l'impatience.

Un long moment, la terrasse tout autour d'eux sembla contenir le monde en entier. Suse-la-Ville avait disparu. Le temps et les épreuves s'étaient évanouis. Seul le ciel profond et translucide du crépuscule mourant demeura avec eux.

Ils eurent, en se mettant nus, la maladresse des amants longtemps séparés. Puis le temps, les souvenirs, les impatiences et les craintes s'effacèrent à leur tour.

Ils furent à nouveau Antinoès et Lilah.

*
**

Le silence de la nuit piquetée d'étoiles pesait sur la ville lorsque, à bout de souffle, ils dénouèrent leurs membres.

Çà et là, des torches illuminaient les cours des belles maisons. Dans de larges coupelles, des flammes de naphte dansaient sur les murs de la Citadelle, dessinant, comme chaque nuit, un diadème royal suspendu dans l'obscurité.

Antinoès repoussa les bras de Lilah et quitta les coussins. À tâtons, il trouva un petit coffre en bois de pommier contenant un briquet de silex et une mèche d'amadou. Un instant plus tard, la poix d'une torche s'enflammait en crépitant.

Lilah découvrit le corps qu'elle venait d'accueillir contre elle dans l'obscurité. La taille d'Antinoès était plus mince, ses fesses hautes creusaient deux fossettes au creux des reins. Durant ces années où la guerre contre les Grecs et le frère du Roi des rois l'avait tenu loin d'elle, il s'était endurci.

Quand il se retourna, fichant la torche dans les briques du parapet, près de la table encore recouverte de nourriture, elle découvrit la cicatrice.

— Ta cuisse !

Antinoès sourit avec une pointe de fierté.

— Le glaive d'un Lydien à Krakhémish. C'était mon septième combat en mêlées. Je manquais d'expérience. Il était au sol, je ne me suis pas méfié.

Les doigts de Lilah suivirent les méandres de la ligne claire qui creusait un léger sillon dans la cuisse dure d'Antinoès.

Il s'inclina, lui saisit les doigts pour les renouer aux siens.

— Ce n'est rien. En une lune la plaie s'est refermée. Depuis, je n'ai combattu qu'en char. Sur un char, l'ennemi ne vise plus les jambes, mais le cœur ou la tête. Tu vois, j'ai encore l'un et l'autre.

Lilah se laissa aller à la renverse, les yeux perdus dans le ciel.

— Combien de fois, murmura-t-elle, quand la nuit et les étoiles arrivaient, j'ai pensé à ça. Tu étais loin de moi et pourtant sous ces mêmes étoiles. Et cette nuit te voyait mourir. Ou tu souffrais, tu voulais me voir et je l'ignorais. Un javelot qui te transperce et la tablette de cire qui me l'annonce et me transperce à mon tour.

Antinoès rit de nouveau.

— C'était impossible. Les Grecs et les mercenaires de Cyrus le Jeune ont appris à me craindre.

Il s'agenouilla en gardant un peu de distance. Il devint sérieux, observa Lilah en silence.

— Je connais chaque parcelle de ton visage, chuchota-t-il en fermant les paupières. Moi, c'est à cela que je pensais. À tes yeux si noirs que je peux m'y refléter dans la lumière du jour, à tes cils, tes sourcils droits et longs, si fins qu'ils font songer à un trait de fumée. Ton front haut et buté de petit taureau, tes joues qui rougissent sous la colère autant que sous mes lèvres. Je connais chaque ligne de ta bouche. Je les ai dessinées cent fois dans le sable. Celle du dessus est plus longue et plus ourlée que l'autre. Une bouche si douce, si vivante que l'on sait toujours ce que tu penses.

Les paupières toujours closes, avec un léger tremblement il avança la main. Ses doigts suivirent la courbe d'un sein, glissèrent sur le ventre. Sa caresse se prolongea dans la chevelure dénouée de Lilah qui atteignait ses hanches.

— En deux années, j'ai vu bien des femmes, reprit-il en rouvrant les yeux. Les belles de Cilicie ou du Nord de l'Euphrate. Les épouses des grands guerriers de Lydie... Plus elles étaient belles, plus elles me faisaient penser à toi. Plus elles étaient sottes, ou seulement désinvoltes et aguicheuses, plus je songeais à toi. Et quand il m'arrivait d'en croiser une qui puisse se comparer à toi, je lui en voulais de n'être pas toi.

Doucement, il la caressait comme s'il réinventait son corps de ses doigts, en imprégnait sa paume de chaque courbe, de chaque grain de chair.

— Au combat, tu étais avec moi. Les flèches et les glaives ne pouvaient m'atteindre. J'étais protégé à la seule pensée de ta beauté.

Lilah eut un rire de gorge. Elle bascula en avant, l'enlaça dans un nouveau baiser. Elle pressa la pointe durcie de ses seins contre la poitrine d'Antinoès comme si elle voulait se ficher en lui.

— Jamais je n'ai eu peur en combattant, murmurat-il. Mais tous les jours j'ai eu peur que tu m'oublies. Tous les jours j'ai songé que tu pouvais oublier Antinoès et que les hommes de Suse seraient fous de ne pas voir ta beauté.

— Alors, nous étions deux à connaître la même terreur.

Elle lui mordit la nuque et il frissonna.

— Ne ris pas ! s'écria-t-il. Désormais, nous sommes ensemble pour toujours.

Ces mots figèrent Lilah un bref instant. Mais les baisers d'Antinoès effacèrent le froid qui venait de l'effleurer. Son ventre redevint de braise alors que le sexe d'Antinoès gonflait contre sa cuisse. Elle agrippa ses épaules et le renversa sur les coussins, guerrière de son amour et enchanteresse de son amant.

La lune se levait au-dessus des montagnes du Zagros lorsqu'elle chuchota qu'il était temps pour elle de rentrer.

— Reste pour la nuit ! protesta Antinoès.

Elle sourit, secouant la tête.

— Non, pas cette nuit. Nous ne sommes pas encore

mari et femme et je ne veux pas que ma tante trouve ma chambre vide au matin.

— Allons ! Ta tante Sarah sait très bien que tu es ici, et elle en est ravie.

Lilah eut un petit rire. Elle caressa les paupières de son amant, suivit ses sourcils du bout de son index.

— Alors, c'est moi qui veux retourner dans ma chambre à l'aube. En pensant à toi, en retrouvant ton odeur sur ma peau.

— Tu la sentiras mieux encore en demeurant ici. Lilah, pourquoi partir ? Nous venons seulement de nous retrouver.

— Parce que je suis ton amante, chuchota Lilah en lui baisant le front. Ton amante et non ton épouse.

Antinoès se redressa et lui agrippa le poignet alors qu'elle s'écartait.

— Quand ? Quand seras-tu mon épouse ?

Elle eut du mal à soutenir son regard. La pénombre, la flamme chaude et vacillante de la torche durcissaient les ombres sur son visage. Elle songea au visage qu'il devait montrer au combat.

— J'irai voir ton oncle dès demain, insista Antinoès. Nous fixerons le jour. Pour moi, tout est prêt, j'ai fait des offrandes à Ahura-Mazdâ, j'ai déposé une tablette avec ton nom chez les eunuques du roi et de la reine. Tu sais que c'est la loi pour les grands officiers. Tu sais que le roi ou la reine peuvent s'opposer à des épousailles avec... Entre un officier perse et une non-Perse.

Il s'interrompit avec une grimace et secoua la tête.

— Lilah, que se passe-t-il ? Ne désires-tu pas être mon épouse ?

— Je ne désire rien d'autre, dit-elle avec un sourire.

— Alors, pourquoi tarder ?

Lilah ramassa ses cheveux pour s'en couvrir la poitrine, chercha sa tunique entre les coussins. Antinoès attendit une réponse qui ne vint pas. Il se leva brusquement, marcha nerveusement jusqu'au parapet. La lumière de la torche l'éclairait à peine.

— Je suis revenu pour être ton époux, Lilah, dit-il d'une voix sourde. Je ne repartirai pas de Suse avant que cette maison, là-dessous, ne soit ta maison.

Il désigna le diadème de la Citadelle qui brillait, imperturbable, dans la nuit.

— Là-bas, dans quelques jours, je porterai le casque aux plumes rouges et blanches et la cuirasse de cuir aux insignes des héros d'Artaxerxès le Nouveau. Mais sans toi, sans ton amour et la pensée de toi, même un enfant grec pourrait me vaincre.

Il parlait sans la regarder. Lilah déployait le tissu de sa tunique pour s'en envelopper. Alors qu'elle allait en agrafer les pans, Antinoès se retourna et lui saisit les bras.

— C'est Ezra, n'est-ce pas ? C'est lui qui te retient ?

— Il me faut lui parler.

— Il n'a pas changé ? Il me hait toujours ?

Lilah ne répondit pas, se dégagea et attacha sa tunique.

— Sait-il que je suis de retour ? demanda encore Antinoès.

— Non. J'irai demain.

— Dans la ville basse ?

Lilah se contenta d'un hochement de tête. Antinoès grogna, s'écarta avec un mouvement de fureur.

— Quel fou !

— Non, Antinoès, il n'est pas fou. Il fait ce qu'il croit juste. Il apprend, il étudie, et c'est important.

Antinoès voulut répliquer, le visage plein d'ironie. Lilah leva la main.

— Non, ne te moque pas, ce serait injuste. Peu après ton départ, un vieil homme est venu le voir dans la ville basse. Il s'appelle Baruch ben Neriah. Il vivait à Babylone et avait appris que notre famille possédait le rouleau des lois confiées à Moïse par Yhwh. Un vieil homme, doux et très savant. Toute sa vie il a étudié sur des papyrus copiés et incomplets. Il a invité Ezra à partager ses études. Depuis, l'un et l'autre sont plongés dans les textes. Ezra devient un sage, Antinoès. Un sage de notre peuple, comme ceux qui conduisaient les fils d'Israël avant l'exil.

— Très bien. Qu'il étudie, qu'il devienne un sage. Que m'importe, pourvu qu'il te laisse libre de m'épouser !

— Antinoès ! Tu as aimé Ezra presque autant que moi.

— C'était il y a longtemps !

— Pas assez pour que tu ne t'en souviennes plus. Tu sais comme moi qu'Ezra n'est pas fait pour la vie ordinaire. Un jour, il sera grand...

— Non. Il faudrait pour cela qu'il ne soit pas jaloux. La jalousie le diminue autant que la haine affaiblit un guerrier avant le combat.

Lilah se tut, esquissa un sourire. Elle s'avança, caressa le torse nu d'Antinoès, posa son front contre son épaule et l'enlaça tendrement.

— Je n'ai pas d'autre désir, je n'ai pas d'autre bonheur que d'être l'épouse d'Antinoès. Sois encore un peu patient.

Antinoès plongea son visage dans la chevelure de Lilah.

— Non ! je ne veux plus être patient ! Je te veux près de moi pour toute la vie qui vient. Je suis rentré pour que nous soyons ensemble. Et il en sera ainsi. Si Ezra ne veut pas d'épousailles, nous serons mari et femme malgré lui. Il suffit que ton oncle Mardochée m'accepte !

Lilah dénoua ses bras, tremblante.

— Antinoès...

Mais Antinoès ne l'écoutait pas. Il la serra de nouveau contre son corps nu, indifférent à la fraîcheur grandissante de la nuit.

— Et si nous ne pouvons être mari et femme, poursuivit-il, nous serons amant et amante pour toujours. S'il faut quitter Suse, nous quitterons Suse et je rendrai ma cuirasse et mon baudrier de capitaine des chars. Nous irons en Lydie, à Sardes. Il y a une mer magnifique, là-bas, et j'y deviendrai un héros grec...

Lilah saisit son visage entre ses mains et le baisa sur la bouche pour le faire taire. Elle l'étreignit, murmurant dans leur souffle à nouveau brûlant :

— Je n'aurai pas d'autre époux que toi, mon bienaimé. Laisse-moi le temps de convaincre Ezra et de faire que notre bonheur ne soit pas sa peine.

La nouvelle

Le jeune esclave tira sur les brides. Les mules mâchonnèrent leurs mors en renâclant et l'attelage s'immobilisa à l'ombre d'un néflier.

Lilah en descendit. D'un signe de la main, elle réclama l'aide d'Axatria.

La servante attrapa l'énorme couffin posé entre les bancs, disposant les lanières de cuir afin que sa maîtresse puisse les passer à son épaule. Les sourcils froncés, elle protesta :

— Il est trop lourd ! Ce n'est pas à toi de porter une charge pareille.

— Ça ira. Ne t'inquiète pas, répondit Lilah, calant le couffin sur ses reins.

— Bien sûr que je m'inquiète ! Je m'inquiète et j'ai honte. Ta tunique sera un chiffon avant que tu n'arrives à la maison d'Ezra ! Dieu du ciel, à quoi tu ressembles !

Axatria tenta de déplisser le tissu froissé par les sangles, repiqua sans ménagement la broche en forme de demi-lune qui retenait le châle transparent sur les cheveux de Lilah.

— Ta coiffure ne durera pas jusque chez ton frère, je te le dis. Lui qui aime tant te voir belle ! Et ta tante ? Que penserait-elle en te voyant chargée autant qu'une

31

mule alors que ta servante a les fesses posées sur la banquette du char...

Lilah sourit.

— Ezra acceptera de voir sa sœur un peu chiffonnée et je ne le raconterai pas à tante Sarah, je te le promets.

Axatria ne parut ni amusée ni apaisée par cette réponse.

Lilah s'éloigna du char, assurant d'une petite secousse l'appui des sangles dans sa main. Son pied buta contre le rebord surélevé d'une dalle de la voie, taillée droite entre les ultimes jardins de Suse-la-Ville. Emportée par le poids de sa charge, elle fit un écart. À peine eut-elle le temps de se rétablir qu'Axatria agrippait le couffin.

— Tu vois ! Il est bien trop lourd. Laisse-moi faire. À deux nous le porterons plus facilement.

— Laisse !

Sans céder, Axatria chercha à lui ôter les sangles des mains. Lilah la repoussa avec tant de colère qu'Axatria trébucha, manquant de les renverser toutes les deux.

— Axatria ! Fiche-moi la paix !

— Pourquoi devrais-je te laisser faire une telle sottise ?

Le teint hâlé, naturellement sombre d'Axatria était devenu pourpre en un instant. Elle n'était guère jolie. La silhouette trapue, les seins trop lourds et les hanches déjà larges bien qu'elle n'ait jamais enfanté. Elle avait le visage plat des femmes de Zagros : nez court, pommettes hautes, chevelure drue et frisée. Pourtant, la vivacité de son regard, ses lèvres bien ourlées, aussi franches que sensuelles, ses expressions gourmandes et moqueuses n'étaient pas sans charme. En cet instant, cependant, ses yeux n'étaient que deux étincelles de colère. Sa bouche évoquait celle d'une matrone revêche face à une enfant dissipée.

Se contraignant au calme, Lilah dit :

— Axatria, nous sommes déjà convenues que j'irai seule. Inutile de discuter.

— Tu en es convenue avec toi-même, c'est tout ! répliqua Axatria avec aigreur. C'est toi qui as décidé de ce caprice.

— Ce n'est pas un caprice, et tu le sais.

Elles se turent, s'affrontant du regard. Lilah détourna les yeux la première. Flattant la joue d'une mule, le jeune esclave écoutait la dispute.

— En quoi je vous dérange ? reprit plaintivement Axatria. Pourquoi m'empêcher de le voir, Lilah ! Tu sais bien... Tu sais bien...

La fureur et la détresse empêchèrent Axatria d'achever sa phrase. Il n'en était pas besoin. Elle avait raison : Lilah « savait bien ».

Embarrassée par les larmes qui brillaient dans les yeux de la servante, Lilah déclara plus durement qu'elle ne voulait :

— Cette dispute est stupide. Attends-moi ici. Je ne serai pas longue.

Axatria se redressa, les reins creusés et l'œil en feu.

— Bien, maîtresse. Puisque tu l'as décidé et que je ne suis rien d'autre qu'une servante pour toi !

Elle se détourna avec raideur, soulevant sa tunique pour grimper sur le char. Le jeune esclave baissa prudemment les yeux.

Lilah hésita. À quoi bon protester ? Il n'y avait qu'un mot qui pourrait apaiser Axatria, et elle ne le prononcerait pas.

Elle s'éloigna, le cœur lourd. Ainsi commençait cette visite déjà délicate. Dans son dos, elle entendit Axatria sermonner l'esclave d'une voix sèche :

— Au lieu de laisser traîner tes oreilles, mon garçon, remets donc ce char dans la bonne direction !

Lilah n'eut à parcourir qu'une soixantaine de coudées avant que la route pavée se transforme en un chemin de terre irrégulier qui conduisait au labyrinthe de
la ville basse. Des bosquets d'oponces et d'acacias,
quelques champs vagues et des mares envahies de gre-
nouilles séparaient la richesse de la pauvreté.

Lilah avançait, les yeux rivés au sol, l'épaule déjà
endolorie par les sangles du couffin. Les paroles d'Axatria grondaient encore dans son esprit. Jamais elle ne
l'avait vue ainsi.

Vigoureuse, intelligente, diligente, Axatria était
entrée au service de Lilah le jour où l'oncle Mardochée
avait recueilli Ezra et Lilah, à la mort de leurs parents.
Elle avait alors vingt ans. D'une énergie insatiable, à
peine plus âgée que ses jeunes maîtres, en quelques
jours elle était tombée amoureuse d'Ezra.

Il possédait alors toute la beauté incandescente de
l'adolescence. Son charme foudroya Axatria comme
l'éclair consume les sols les plus arides. Lilah n'en fut
pas étonnée. Pour elle aussi Ezra était le plus beau des
garçons. Aussi beau qu'Antinoès, que les jeunes filles
perses dévoraient des yeux. Mais déjà plus savant, et
l'âme plus profonde.

Il avait plu à Lilah qu'Axatria succombe au charme
d'Ezra. Elle en avait été fière autant qu'amusée. Sans
aucune crainte ni jalousie. L'amour qui liait le frère et
la sœur n'était-il pas celui de l'éternité ?

Axatria avait eu la sagesse de ne jamais manifester
ses sentiments par le feu des mots ou des gestes. Si
grande que fût sa passion, elle s'exprimait tout entière
dans l'excellence de son service, la perfection des
linges qu'elle lavait pour Ezra, les plats qu'elle lui pré-

parait. Cela avec une si grande discrétion qu'Ezra n'avait pris conscience de cet amour qu'au jour où la tante Sarah en avait gentiment moqué Axatria.

Une Axatria qui se contentait de recueillir les mercis d'Ezra, ses rares et élusives attentions, comme de merveilleux et suffisants présents.

Cependant, leur amour pour Ezra, amour de sœur, amour de servante, pareillement chaste et sans bornes, avait rapproché Lilah et Axatria.

Puis était venu ce jour terrible où Ezra avait quitté la maison de l'oncle Mardochée pour s'installer dans la ville basse.

L'oncle et la tante avaient tenté de l'en empêcher, sans parvenir à lui tirer une seule parole qui pût justifier son départ. Axatria, elle, s'était mise en travers de son chemin, le visage couvert de larmes.

— Pourquoi ? Pourquoi quitter cette maison ?

Ezra avait voulu la repousser. Se laissant tomber à ses pieds sans vergogne, Axatria avait entravé sa marche comme un boulet de chair et de sanglots. Ezra avait dû lui répondre.

— Je pars là où les fils d'Israël n'oublient pas la douleur de l'exil. Je pars étudier ce que l'on n'aurait jamais dû oublier ! Je pars étudier le savoir que mon père Serayah, son père Azaryah, son père Hilqiyyah et tous leurs pères durant douze générations ont appris de leur père Aaron, frère de Moïse.

Comment Axatria, fille de Perse venue des montagnes du Zagros, pouvait-elle comprendre pareil langage ?

La stupéfaction la rendit au silence. Elle sembla céder, libéra les poignets d'Ezra. Pourtant, à son premier pas, elle agrippa sa tunique et supplia, oublieuse, pour cette seule et unique fois, de sa dignité :

— Ezra ! Emmène-moi avec toi. Je suis ta servante où que tu ailles !

— Là où je vais, je n'ai pas besoin de servante.

— Et pourquoi ?

— Parce qu'on ne fait pas son étude avec une servante.

— Tu ne sais pas ce que tu dis ! Qui prendra soin de toi, te fera à manger, lavera ton linge, tiendra propre ta chambre ?...

Ezra l'avait alors repoussée avec une rudesse qui n'appelait aucune réplique.

— Tais-toi ! Je quitte cette maison pour être plus près de la volonté de l'Éternel, pas d'une servante !

Des jours durant, Axatria, rongée de douleur tout autant que de honte, avait été incapable de sécher ses pleurs.

Elle n'était pas la seule. La maison de Mardochée et de Sarah n'était que larmes et plaintes. Pour la première fois, Lilah avait vu son oncle terrassé, incapable d'aller au travail et même de se nourrir. Sa tante Sarah avait fermé son atelier six jours durant, comme pour un deuil. Les larmes d'Axatria s'étaient englouties avec modestie dans le chagrin général. Elle vaquait à ses tâches comme une âme déjà passée dans l'autre monde. D'un bout à l'autre du jour, elle murmurait dans un souffle stupéfait : « Pourquoi ? Pourquoi ? »

Jusqu'à ce moment où Lilah lui avait annoncé :

— Je sais où Ezra a trouvé refuge. Prépare-toi, nous allons lui porter de la nourriture et du linge.

C'était la première fois.

Moins d'une lune plus tard, à nouveau elles remplirent un couffin et empruntèrent l'un des chars de l'oncle Mardochée, qui fit semblant de l'ignorer.

Les saisons avaient passé, la pluie, la neige, la canicule. Rien, ni la fatigue ni la maladie n'avaient pu contraindre Lilah et Axatria à renoncer à leur visite dans la ville basse.

À peine le jour levé, Axatria remplissait un couffin désormais réservé à ce seul usage. Elle y fourrait tout ce qu'il pouvait contenir : cruchons de lait, pains et fromages, sacs d'amandes, d'orge ou de dattes. Un couffin devenu si volumineux au fil du temps qu'il pesait aujourd'hui plus qu'un âne mort, obligeant Lilah à bander ses muscles pour le porter.

Aujourd'hui où elle voulait être seule devant Ezra.

Ce qu'elle avait à lui annoncer était bien assez difficile sans qu'Axatria tourbillonne autour d'eux.

*
**

Les cris tirèrent Lilah de ses pensées alors qu'elle n'était plus qu'à un demi-stade de la ville basse. Comme surgie de terre, une troupe d'enfants jaillit entre les premières masures. Une vingtaine de gosses. Des garçons uniquement, de toutes tailles, entre quatre et onze ou douze ans. Un simple linge leur ceignant la taille, ils couraient pieds nus sur la terre dure semée de cailloux et braillaient à tue-tête.

Deux vieux, qui portaient en direction de Suse-la-Ville un palan où se balançaient des baquets de bitume, se rangèrent précipitamment sur le bord du chemin.

Soulevant autant de poussière qu'un troupeau de cabris, les enfants furent devant Lilah. Ils s'immobilisèrent d'un coup. Les hurlements cessèrent tout aussi net. Un sourire adorable aux lèvres, ils s'alignèrent en deux rangées parfaites, les petits agrippés aux haillons des plus grands.

— Que le puissant Ahura-Mazdâ et le Dieu du ciel soient avec toi, Lilah ! s'exclamèrent-ils en chœur.

— Que l'Éternel vous bénisse ! répondit Lilah avec sérieux.

Les yeux des enfants, surpris par l'absence d'Axatria, allaient du couffin au char qu'ils entrevoyaient sur le chemin de la ville. Lilah sourit.

— Aujourd'hui, Axatria vous attend au char. Elle vous a apporté du pain de miel.

À peine ces mots furent-ils prononcés que les gosses bondissaient ainsi qu'une volée de moineaux.

Lilah rajusta le couffin sur son épaule. Les deux vieux en firent autant de leurs charges de bitume après s'être inclinés avec respect. Elle répondit à leur salut, pressant le pas.

— Lilah !

Elle entendit l'appel en même temps qu'un bruit de course.

— Sogdiam !

— Laisse-moi porter ton couffin !

C'était un garçon de treize ou quatorze ans, bien bâti et assez fort pour paraître deux ou trois années de plus que son âge. Alors qu'il n'avait pas encore un an, la chute d'un mur de mauvaises briques un jour d'orage l'avait méchamment estropié. Les os de ses jambes s'étaient ressoudés au hasard, lui laissant des membres difformes que sa volonté avait rendus utilisables. Aujourd'hui, malgré un déhanchement grotesque, il était capable de courir et d'endurer de longues marches sans montrer de souffrance.

Ses traits fins et tendres faisaient aisément oublier cette disgrâce. Son regard brûlait d'intelligence. Ezra, peu après son installation, l'avait vite remarqué parmi les gamins orphelins qui couraient la ville basse. En peu de temps, il avait trouvé en lui un serviteur capable et dévoué.

Lilah désigna le morceau de gâteau de miel que Sog-diam tenait dans la main.

— Achève d'abord de manger.

— Pas besoin. J' sais faire l'un et l'autre à la fois ! assura Sogdiam avec une mine de guerrier.

Lilah lui abandonna le couffin, soulageant avec plaisir son épaule tandis que le garçon bandait ses jeunes muscles pour glisser les anses à sa propre épaule.

— Je crois qu'aujourd'hui Axatria l'a vraiment beaucoup rempli...

— Ça ira, grogna crânement Sogdiam.

Lilah lui sourit avec tendresse. Il se remit en marche, les reins fièrement cambrés afin de ne rien laisser paraître du poids qui tirait sur sa nuque. À l'autre bout du chemin, depuis les maisons, on les observait. Sogdiam n'aurait pour rien au monde voulu se priver de montrer à tous qu'il avait le privilège d'aider Lilah, la seule et unique dame de Suse-la-Ville qui osait pénétrer dans la ville basse.

— Axatria n'aurait pas dû te laisser porter cette charge, remarqua-t-il d'un ton sévère en avançant d'un bon pas. C'est elle la servante, c'était à elle de prendre au moins une part.

— C'est moi qui l'ai voulu, répondit Lilah.

— Pourquoi ? Parce qu'elle est trop mal lunée ce matin ? Qu'est-ce qu'elle nous a crié dessus tout à l'heure !

Lilah ne put cacher un petit sourire.

— Ça ne durera pas, assura-t-elle.

— Qu'est-ce qu'il y a ? Vous vous êtes disputées ?

Sogdiam lui jeta un coup d'œil interrogateur. Lilah se contenta de secouer la tête.

— On aurait dit. Elle avait des larmes plein les yeux, insista Sogdiam.

— Il y a des jours comme ça, où l'on est triste, fit Lilah, la gorge serrée.

Préférant changer de sujet, elle demanda précipitamment :

— Explique-moi une chose. Comment savez-vous lorsque nous arrivons ? Jamais notre char n'approche de la ville basse. Vous ne pouvez pas en entendre les roues d'ici et je ne vois aucun de vous dans les champs. Mais à peine sommes-nous arrivées que vous êtes là, à hurler comme des Grecs !

Sogdiam opina fièrement.

— C'est moi qui le sais, pas les autres.

— Toi ? Et comment le sais-tu ?

— C'est facile. C'est ton jour, assura Sogdiam comme si cela tombait sous le sens.

— Qu'est-ce que tu racontes ? Je n'ai pas de « jour ». J'aurais pu venir hier ou demain.

Sogdiam rit.

— Mais tu es venue aujourd'hui ! Tu viens toujours le jour de ton jour.

— Il n'y a pas que le jour, il y a le moment...

— C'est pareil, assura Sogdiam. Tu viens tout le temps au même moment de la journée. Quoi ? Tu ne le sais pas toi-même ?

— Eh bien... Peut-être que non, admit Lilah avec étonnement.

— Moi, si, je le sais. Le matin je me lève et je le sais. Parfois le soir en me couchant. Je me dis : « Demain, dame Lilah viendra. » Et tu viens. Ezra aussi le sait. Il est comme moi.

D'une voix plus émue qu'elle ne voulait le laisser paraître, Lilah demanda :

— En es-tu certain ? Il te l'a dit ?

Le garçon gloussa joyeusement.

— Pas besoin, Lilah. Le jour de ton jour, il se lave à grande eau, il se frictionne les dents avec de la chaux pour qu'elles soient plus blanches. Il me demande de lui passer le peigne dans les cheveux. Depuis tout ce temps que tu viens, tu n'as pas remarqué comme il est beau à ton arrivée ?

Sogdiam riait de si bon cœur que sa claudication en devenait plus lourde, plus maladroite. Lilah rit à son tour, se moquant d'elle-même pour masquer son émotion :

— Il faut croire que j'ai des yeux pour ne rien voir, Sogdiam. Quand je viens, je suis si occupée à m'assurer que vous ne manquez de rien que je ne dois pas être bien attentive.

Le garçon approuva d'une moue, admettant avec doute que cela puisse être une raison valable.

Ils marchèrent un moment en silence, traversant des ruelles, longeant ici ou là de maigres jardins.

Dispersées au hasard des sentes, les maisons de la ville basse n'étaient pour la plupart que huttes de jonc et de boue. Parfois, elles se limitaient à des palmes grossièrement tressées et tendues sur des pieux en guise de toit, sans même de murs. On les appelait des « zorifés ». Des femmes, la tunique tiraillée par une jeune marmaille, s'affairaient autour des foyers parcimonieusement entretenus.

Malgré la saleté des ruelles, l'eau croupie qui les rendait infectes après les pluies, Lilah avait toujours refusé de s'y aventurer en attelage. Les bancs sculptés du char, tapissés de coussins, les têtes d'essieux sertis d'argent et de cuivre à eux seuls valaient plus que cent masures de cet entassement miséreux.

De temps à autre, des yeux inquisiteurs les suivaient. Chacun savait depuis longtemps qui était cette belle jeune femme, où elle allait en compagnie du garçon qui portait le lourd couffin. Hommes ou femmes admiraient avidement la qualité de sa tunique, sa coiffure élégante, ses socques de cuir à la pointe recourbée remontant sur ses mollets. Sa démarche même était différente de celle des femmes de la ville basse. Elle avançait, plus vive, plus légère. Avec un balancement des hanches qui faisait songer aux danses, aux fêtes, aux banquets, à la musique et aux chants amoureux du crépuscule. En un mot, à la beauté, tout simplement, et au ravissement que pouvait représenter, pour d'autres, le monde.

Aussi souvent qu'ils aient eu l'occasion d'admirer Lilah, les habitants de la ville basse ne s'étaient jamais lassés du spectacle. Lilah était pour eux le mirage de ce qu'ils ne connaîtraient jamais.

La plupart n'avaient jamais pénétré dans Suse-la-Ville, d'où les soldats les chassaient brutalement. Encore moins avaient-ils approché Suse-la-Citadelle. Tout au plus pouvaient-ils, d'ici, par-dessus les toits des taudis et, plus loin, au-delà des jardins et des belles demeures de Suse-la-Ville, deviner l'enceinte et les colonnades de l'Apadana. Découpée dans le ciel du matin, la Citadelle semblait jouxter les nuages épars, ainsi que le devait la demeure des dieux et du Roi des rois !

Femmes et hommes avaient interrogé Sogdiam, lui demandant si la dame du « sage Juif », comme on appelait ici Ezra, habitait la Citadelle. Sogdiam était si fier qu'on pût le penser qu'il répondait que oui. Oui, une femme aussi belle que Lilah ne pouvait vivre que dans la Citadelle !

Sogdiam déposa avec soulagement le couffin devant la porte de la maison.

— Ezra étudie sûrement encore, souffla-t-il en poussant avec précaution le ventail peint de bleu pour qu'il ne grince pas.

La maison était presque un palais, comparée aux masures qui l'entouraient. Les murs, dressés en briques crues, soutenaient un toit de palme recouvert de terre bitumée qui protégeait également du froid et de la canicule. Trois petites pièces carrées ouvraient sur une cour. Une tonnelle où serpentait un citronnier odorant s'appuyait contre le mur d'enceinte.

— Attends, chuchota Sogdiam en voyant Lilah se diriger droit vers la pièce d'étude. Il faut que je les prévienne !

Lilah n'eut pas le temps de rétorquer qu'elle n'allait certainement pas attendre. Une voix claire et nette prononça son nom :

— Lilah !

Sogdiam disait peut-être vrai. À y être attentive, Lilah se rendait compte qu'Ezra était tout à fait soigné. La barbe courte lustrée. Les dents blanches et brillantes dans le sourire d'accueil. Les cheveux soigneusement séparés haut sur le crâne par une raie droite. Un anneau d'ivoire d'Orient, offert par Lilah il y avait bien longtemps, les retenait sur sa nuque. Une tunique claire, serrée sur son grand corps par une ceinture de lin marron, cachait mal sa maigreur.

— Lilah, ma sœur...

Il avança, les bras grands ouverts. Et s'immobilisa au dernier instant, alarmé :

— Puis-je te serrer contre moi ?

Lilah eut un rire moqueur. Ezra, fidèle à chaque ligne des lois de Moïse, voulait savoir si elle était accablée par ce qu'il appelait le « sang de la féminité ».

Elle franchit le pas qui les séparait, posa les doigts sur ses lèvres. Son frère hésita, tiraillé entre le désir de reculer et celui d'embrasser. Lilah rit à nouveau. L'attrapant par le cou, elle l'attira contre elle. Ses lèvres baisant tendrement le lobe de son oreille, elle chuchota :

— N'aie crainte. Je suis tout à fait pure ! Serais-je venue si je ne l'étais pas ? Ne peux-tu avoir confiance en ta sœur ?

Un petit grognement de satisfaction vibra dans la poitrine d'Ezra. Lilah ferma les yeux, soudée à son frère bien-aimé, heureuse et oublieuse des craintes qui la tourmentaient depuis la veille. Un instant, ils se tinrent ainsi enlacés comme si leur séparation avait duré toutes les heures de l'éternité et non pas quelques semaines.

La même émotion les étreignait à chaque retrouvaille. Frère et sœur engendrés d'une même chair, parfois si confondus qu'ils ne semblaient qu'un seul et même corps. Mais jamais un même esprit.

Les lèvres pressées contre la nuque d'Ezra, Lilah releva les paupières. Sogdiam les contemplait. Dans un balancement de la hanche qui le ploya en deux, il se détourna, fila dans la maison en emportant le couffin.

Ezra s'écarta, gardant la main de Lilah dans la sienne. L'œil encore moqueur mais le ton sérieux, elle remarqua :

— Sogdiam m'assure que tu te fais beau à chacune de mes visites. Moi, je te trouve de plus en plus maigre. Comment est-ce possible ? Les couffins d'Axatria sont pleins à craquer. Ne manges-tu rien ?

Ezra balaya les questions d'un revers de main.

— Je vais très bien. C'est maître Baruch qui devrait t'inquiéter. De mauvaises nouvelles sont arrivées, engendrant de mauvaises nuits. Ce matin nous n'avons pas étudié car il se sentait trop faible.

Lilah jeta un regard inquiet vers la pièce d'où était sorti Ezra. Il approuva d'un signe.

— Va, entre. Il t'attend.

La pièce était chaleureuse malgré la simplicité de
son ameublement. Une large ouverture dans la paroi de
l'ouest l'éclairait. De chaque côté de cette fenêtre, que
l'on pouvait clore d'un volet de jonc tressé, des niches
étaient surchargées de tablettes de cire. Un tapis offert
par la tante Sarah recouvrait le mur du nord. Lilah avait
eu le plus grand mal à convaincre Ezra de le suspendre.
En hiver, il protégeait efficacement du vent et du froid
qui sourdaient entre les briques pas toujours bien join-
tées.

Disposé au centre de la salle, un coffre de cèdre
noirci par les brûlures des lampes à huile servait d'écritoire. Deux tabourets et des jarres à large col remplies
de rouleaux de papyrus l'entouraient. Un sac de cuir
suspendu à l'une des poutres du plafond contenait les
calames et les bâtons d'encre sèche.

Un lit bas aux sangles de cuir avait été dressé contre
le mur opposé à la fenêtre. Sur la couche de laine serrée
dans une enveloppe de lin, la tête d'un vieillard dépassait de la couverture aux rayures brunes et vertes, que
son corps frêle soulevait à peine.

Lilah s'agenouilla. Dans son dos, Ezra annonça d'une
voix forte :

— Lilah est arrivé, mon maître !

La couverture s'écarta avec plus de vivacité que Lilah
ne s'y attendait. Deux yeux clairs, profondément enfon-
cés dans leurs orbites, la scrutèrent. Des yeux vifs qui
contrastaient avec l'usure du visage, les mille rides du
front et des joues. Malgré son grand âge, les cheveux
de maître Baruch étaient demeurés sombres. Les boucles
de sa barbe, aussi blanches, elles, que la laine d'un
agneau, couvraient sa poitrine. On y distinguait à peine

les lèvres, minces et fripées, révélant quelques chicots dans leur sourire.

— Lilah, ma colombe ! Que l'Éternel te bénisse.

La voix était faible, rauque, mais joyeuse.

Maître Baruch repoussa un peu plus la couverture. Ses mains ne semblaient plus être que des os retenus ensemble par la peau lustrée, tavelée, qui les recouvrait encore. Elles serrèrent celles de Lilah avec une force et une douceur qui chaque fois la sidérait. S'inclinant avec tendresse, elle baisa le front du vieillard.

— Bonjour, maître Baruch ! Ezra me dit que vous êtes malade.

Un étrange grincement résonna. La bouche de maître Baruch s'ouvrit toute grande. Les plis de sa gorge tressautèrent tandis qu'il refermait les paupières. Il riait.

Reprenant son souffle, il murmura sans rouvrir les yeux :

— Ezra est plein d'indulgence et plein de jeunesse ! Ezra est si assuré que l'Éternel va faire de moi un « patriarche » qu'il me croit malade ! La vérité, ma colombe, c'est que je ne suis pas du tout malade.

Il s'interrompit, serrant à nouveau les mains de Lilah. Les paupières découvrirent une fois de plus le regard ironique et perçant.

— J'ai seulement l'âge de ma mort, ma colombe. L'Éternel ne partage pas l'avis d'Ezra ! Il ne veut pas faire de moi un nouveau Noé, ni un Abraham. Je ne vivrai pas trois cents années. Baruch ben Neriah je suis, Baruch ben Neriah je mourrai. Et bientôt !

Dans le dos de Lilah, Ezra s'impatienta :

— La vérité, mon maître, c'est aussi que tu as eu mal au ventre toute la nuit.

— Le mal de ventre n'est rien, répliqua maître Baruch d'une voix plus ferme. Le mal de ventre, tu nais avec et tu vis avec. Le mal de ventre, moi, je le connais depuis près de cent ans. Ce qui est triste et qui transforme mon sang en eau, ce qui raccourcit ma vie, c'est de savoir que je ne verrai jamais Jérusalem relevée de sa honte. Je mourrai alors que la ville choisie par Yhwh est toujours béante et offerte à ses ennemis. Savoir que les Ammonites et les Asdhodites dansent sur les ruines du Temple, voilà ma maladie, ma colombe. Voilà la punition que m'inflige l'Éternel.

Lilah fronça les sourcils et protesta :

— Pourquoi dites-vous cela, maître Baruch ? Ces malheurs sont finis. Voilà longtemps que Néhémie a redressé le Temple et que Jérusalem vit dans la loi de Yhwh ! C'est vous-même qui nous l'avez appris, à Ezra et à moi, lors de votre arrivée parmi nous.

Le vieillard dressa ses paumes en signes véhéments de protestation, comme si une lame de douleur l'emportait.

— Oublie ces paroles naïves, ma fille ! N'alourdis pas ma faute devant l'Éternel.

Lilah se tourna vers Ezra, le visage empli d'incompréhension.

— Ainsi, tu ne connais pas la nouvelle, constata Ezra, l'œil noir. Ça ne m'étonne pas ! Ce n'est pas chez l'oncle Mardochée que l'on va s'en soucier.

Avec un frisson d'inquiétude, Lilah ne put s'empêcher de songer à la tablette d'Antinoès.

— Quelle nouvelle ? demanda-t-elle.

— Néhémie, fils d'Hakalya, est mort depuis cinq ans au moins. Et il a échoué.

— Oh !

Son soulagement n'échappa pas à Ezra. Elle sentit le rouge lui colorer les joues.

La voix de maître Baruch s'éleva, cette fois forte et nette :

— À Moïse, Yhwh a dit : « *Vous reviendrez vers Moi, vous observerez Mes ordres, selon eux vous agirez. Et même si vous êtes bannis jusqu'aux confins sous le ciel, de là Je vous assemblerai et Je vous amènerai vers le lieu que J'ai choisi pour y faire résider Mon nom.* » C'est avec ces mots à l'esprit que ce Néhémie, fils d'Hakalya, a quitté Suse-la-Citadelle. Voilà ce qu'il nous faut porter en notre cœur.

L'index du vieillard pointait vers la poitrine de Lilah. Ses iris clairs n'étaient plus souriants ou ironiques, mais durs et tout palpitants de colère.

— Et voilà cinquante-quatre années que Néhémie est parti pour Jérusalem afin d'y rétablir la volonté de Yhwh. Et tout ce qu'il y a rétabli, ce sont des piles de briques !

Ezra intervint :

— Durant quatre ans Cyrus le Jeune a régné sur Yehoud. De Jérusalem et de Néhémie nous n'entendions que des rumeurs. Les nouvelles qui nous parvenaient n'étaient pas bonnes, mais pas mauvaises non plus. Les marchands arrivaient à Suse-la-Ville en assurant que Cyrus portait aux Juifs la même affection que son père et que son grand-père. Le Temple et les murs de Jérusalem resplendissaient comme dans un rêve, affirmaient-ils. Racontars de caravaniers ivres de bière de palme ! Sornettes bien douces aux oreilles des Juifs de l'exil, trop heureux de se soustraire à leur mauvaise conscience.

Le bras tendu, Ezra désigna un invisible visiteur dans la cour.

— Il en est qui sont venus jusqu'ici, pressés de s'incliner devant maître Baruch et qui se prétendaient pieux. Nous demandions : « Avez-vous des nouvelles de Jérusalem ? Savez-vous si Néhémie lutte toujours contre les Philistins, les gens de Manassé, d'Amon et de Gad ? – Oh, que non ! » répondaient-ils, la bouche et la cervelle pleines d'assurance. Néhémie faisait respecter la Loi de Moïse sur les collines de Yehoud et les rives du Jourdain ! Jérusalem allait bientôt briller comme au temps de Salomon ! Comment le savaient-ils ? Les uns avaient reçu une lettre, les autres la visite d'un parent, tous avaient entendu ceci ou cela !...

Ezra claqua ses cuisses de ses paumes, se tut avec un ricanement sec et aigre. Mais ses yeux étincelèrent de fureur dans son visage soudain magnifique.

Lilah tressaillit. Oui, en de tels instants, nul, pas même Antinoès, n'égalait son frère en éclat.

*
**

La colère d'Ezra, Lilah la connaissait depuis longtemps. Et depuis toujours, en vérité, elle la redoutait autant qu'elle l'admirait, tant Ezra s'y montrait fascinant.

Sa voix s'assombrissait, étrangement vibrante dans sa gorge aussi délicate que celle d'une femme. Une voix qui faisait frissonner l'air. Les mots qu'elle prononçait frappaient les poitrines. Tout le corps d'Ezra paraissait alors s'alourdir d'un coup. Il lui fallait s'activer, agiter ses membres comme s'il ne pouvait contenir la force de ses muscles. Sans étonnement, Lilah le vit se retourner brusquement, marcher jusqu'à la fenêtre, puis vers la porte, et revenir enfin, en quatre longues enjambées, jusqu'au lit et, là, frapper des mains comme pour effrayer une meute de chiens errants.

— La vérité, maintenant, on la connaît. Au mois de nisan, Artaxerxès le Nouveau a livré bataille à Cyrus, son frère, sous les murs de Babylone. Cyrus est mort, et avec lui les mensonges et les rumeurs. Aujourd'hui, voilà que la vérité traverse le désert. Et elle proclame :

le Temple des fils d'Israël n'a ni portes ni toit. Et s'il en a, nul ne les garde. Nul ne connaît les lois. On y pratique l'échange d'argent, la vente et le crédit, à ce qu'il paraît. Si les murs de Jérusalem sont redressés, les brèches en sont béantes. Les Philistins, les Ammonites et les Moabites, tous les ennemis des fils d'Israël, quels que soient leurs noms, y vont et y viennent comme ça leur chante. La Loi enseignée à Moïse par Yhwh ne règne pas plus qu'au jour où Nabuchodonosor a vaincu la Judée. Elle ne règne pas plus que pendant les soixante ans où nos pères piétinaient la poussière de l'exil. Pas plus que pendant les cent cinquante années qui se sont écoulées depuis le décret de Cyrus le Grand qui a rendu Jérusalem aux fils d'Israël. La vérité, c'est qu'on se croirait revenu au temps où ceux de l'exode dansaient devant le veau d'or au pied du mont Sinaï ! Voilà la nouvelle, ma sœur. Néhémie a été ambitieux et volontaire. Mais il a échoué.

Ezra s'assit sur l'un des tabourets et à nouveau claqua ses cuisses de ses paumes.

— Comment peux-tu en être certain ? ne put s'empêcher de demander Lilah après un instant de réflexion.

Son frère la dévisagea avec stupéfaction. Lilah lui sourit avec douceur. Elle avait parlé sans chercher à s'opposer à lui. Simplement, elle avait laissé libre cours à son propre raisonnement. Elle était si accoutumée à la vigueur des discours d'Ezra, à leur charme brûlant, qu'elle pouvait désormais échapper à la fascination qu'ils avaient exercée sur elle, lorsqu'ils étaient plus jeunes l'un et l'autre, et penser par elle-même. Cependant, la colère d'Ezra se tournait à présent contre elle, tout aussi brusquement que le vent du désert change de cap.

Cela aussi, elle y était accoutumée. Inclinant le buste, elle posa une main sur les genoux de son frère.

— Peut-être t'inquiètes-tu à tort ? dit-elle avec tendresse. Si les rumeurs venues de Jérusalem avant la bataille de Kounaya étaient fausses, pourquoi celles d'aujourd'hui seraient-elles vraies ?

Ezra repoussa sèchement sa main, mais avant qu'il prononce un mot, maître Baruch déclara :

— C'est une bonne question, ma fille. Si un oiseau vole dans un sens, pourquoi ne volerait-il pas dans un autre ?

Figé dans sa fureur, les lèvres frémissantes, Ezra les toisa l'un et l'autre. Le vieux maître désigna l'une des jarres de ses doigts décharnés.

— Montre-lui la lettre.

Ezra tira un papyrus parmi la vingtaine que contenait le récipient. Il le lança sans cérémonie à Lilah.

— C'est une lettre de Yaqquv, le gardien des portes du Temple que Néhémie lui-même a chargé de cette fonction avant de mourir. Une lettre rédigée à Jérusalem il y a deux printemps. Elle n'est arrivée entre les mains des lévites de Babylone qu'après la mort de Cyrus le Jeune. L'un d'eux l'a fait parvenir à maître Baruch, car c'était à lui que Yaqquv adressait sa plainte. Tout ce que je viens de te dire est consigné là, de sa plume à lui, Yaqquv, qui le vit là-bas.

Quoique enroulée sur une tige de bois de cèdre, la bande de papyrus était en mauvais état. Jaunie, déchirée, usée, elle semblait avoir été manipulée par des centaines de personnes. L'encre en était légèrement ocre, différente de celle que l'on utilisait à Suse. L'écriture n'était pas celle de Perse ou de Chaldée. Lilah reconnut les signes hauts et liés des Hébreux que maître Baruch enseignait à Ezra. Elle-même ne les déchiffrait qu'à grand-peine.

Comme s'il devinait sa pensée, Ezra retira un autre papyrus de la jarre, plus court et fraîchement écrit.

— J'ai traduit ce qui était nécessaire dans la langue de Babylone. J'en ai exécuté plus de quarante copies qui ont été distribuées aux familles de l'exil de Suse-la-Ville. J'espérais que les unes et les autres ouvriraient les yeux sur la plaie de Jérusalem. Tu aurais pu en avoir une entre les mains. Mais n'était-ce pas folie que d'espérer atteindre le cœur de notre oncle ou même franchir sa porte ?

Lilah baissa le front. Son frère avait raison. Ces dures nouvelles n'avaient pas pénétré la maison de l'oncle Mardochée.

Elle se tourna vers le vieux maître.

— J'ai honte, maître Baruch. Ezra a raison. Comme tu le sais, la maison de notre oncle est close à tout ce qui vient de son neveu, souffla-t-elle avant d'ajouter vivement : mais notre oncle le regrettera, je le sais.

Maître Baruch eut un regard vers Ezra avant de soupirer :

— Nous avons tous honte. Toi, moi, Ezra. Tous ! Néhémie est parti en assurant : « *J'avoue les fautes des fils d'Israël ! Nous avons fauté contre Toi, Yhwh ! Moi et la maison de mon père, dans la faute, dans la faute !* » Voilà ce qu'il disait en quittant Suse-la-Citadelle. Voilà ce que l'on peut encore répéter aujourd'hui. Le temps est passé, mais rien de bon n'est advenu.

Il se tut, les lèvres closes en une grimace. Sa main aux doigts doux chercha à nouveau celle de Lilah. Ezra aussi respecta son silence. Ils demeurèrent ainsi un instant.

Il n'y avait rien à ajouter. Il suffisait de repenser au poids des mots.

Lilah entendit quelques bruits provenant de la pièce voisine qui servait de cuisine. Sogdiam devait ranger les victuailles.

*
**

Aussi vite qu'il s'était mis en colère, Ezra s'apaisait. Avec calme, il replaça les papyrus dans la jarre, puis se rassit près de Lilah.

Elle n'avait pas besoin de se retourner pour s'assurer du regard qu'il portait sur elle. Elle ne doutait pas qu'il fût plein d'affection et d'indulgence. Elle garda cependant le front baissé et les yeux rivés sur la main tavelée de maître Baruch qui pétrissait la sienne.

Elle était venue pour annoncer à Ezra le retour d'Antinoès. Son retour et sa volonté de l'épouser. Comment le pourrait-elle à présent ?

Comment, après ce qu'elle venait d'entendre, oser dire : « Moi aussi, j'ai une nouvelle. Antinoès est revenu de la guerre pour m'épouser. J'ai passé la nuit près de lui. Je l'aime et je sens encore ses caresses sur mes hanches. Il veut faire de moi une grande dame. L'une de celles qui franchissent les portes de Suse-la-Citadelle et vont s'incliner devant le Roi des rois et les reines ! »

La voix du vieux maître s'éleva tout à coup, la tirant de ses pensées :

— Ezra possède la colère de la jeunesse, et c'est bien, fit-il avec son sourire mi-malin, mi-sérieux. Moi, je n'ai que les remords de la vieillesse. J'avais à peine quelques années de plus que vous lorsque Néhémie a quitté Suse-la-Ville pour Jérusalem avec l'accord de son Roi des rois. Je vivais alors à Babylone, parmi ceux de l'exil. Mes jours s'écoulaient dans l'étude des enseignements de Moïse. Quelqu'un est venu vers moi. Il s'appelait Azaryah, celui-là. Il m'a dit : « Baruch, Néhémie forme une caravane pour Jérusalem. Il va en redresser les murs et reconstruire le Temple. Il a besoin de mains et d'esprits sûrs. Il a pensé à toi, car on dit que tu en sais beaucoup sur la Loi que Moïse a reçue sur le mont Sinaï. » J'ai regardé cet Azaryah avec ce même regard que peut avoir ton frère, ma colombe. Le sourcil bien froncé, les yeux bien noirs... quoique les miens aient toujours été clairs et bleus.

Maître Baruch s'interrompit. Son petit rire grinçant fit trembler sa gorge. Il en allait toujours ainsi, avec lui. Quelle que fût la gravité du moment, il ne pouvait retenir l'amusement que lui causaient les tourments humains, surtout s'il s'agissait des siens.

— J'ai pris le temps de la réflexion et, très sérieusement, j'ai répondu à Azaryah : « J'étudie et je ne peux pas interrompre l'étude. » Il a insisté : « Viens, tu étudieras à Jérusalem ! Y a-t-il un meilleur endroit pour étudier ? » J'ai encore refusé. J'ai dit : « Pour aller à Jérusalem, il faut interrompre l'étude. Ce n'est pas possible. » Il s'est mis en colère. Il soufflait comme un bœuf, cet Azaryah, il était rouge comme un poivron ! Il m'a demandé : « Est-ce là ta réponse à Néhémie, Baruch ben Neriah ? Que tu préfères l'étude à la reconstruction du Temple de Yhwh ? » « Oui, voilà exactement ce que tu lui diras, ai-je répondu, bien fier de moi : Baruch ben Neriah suit la Volonté des volontés. Quand on est dans l'étude des lois enseignées par Yhwh, on ne s'interrompt pas, même pour reconstruire les murs et le temple de Jérusalem ! » Ah !

La bouche toute crevassée de maître Baruch riait. Les larmes qui perlaient dans ses yeux, elles, n'étaient pas de joie.

— Ah ! Pauvre Néhémie ! Pauvre Néhémie ! Que l'Éternel le bénisse jusqu'à la nuit des temps ! s'exclama-t-il encore, battant sa poitrine de ses poings.

Lilah osa un regard vers Ezra. Il écoutait, impassible, la tête inclinée.

Elle laissa passer un bref instant, puis se leva d'un air décidé.

— Je vais préparer une infusion avec du miel et des herbes, dit-elle au vieux maître. J'en ai apporté de toutes fraîches. Et je vais cuire des galettes que tu pourras tremper dans un peu de lait. Cela te fera du bien et calmera les douleurs de ton ventre.

Elle sortit sans attendre les protestations du vieillard. Mais la plainte de son rire la rattrapa avant qu'elle ne franchît le seuil de la pièce. Un peu malgré elle, elle songea qu'Ezra apprenait tout de lui, vite et bien. À l'exception d'une chose : le goût du rire et de la plaisanterie. Même et surtout lorsque les yeux sont brûlants de larmes retenues.

La cuisine n'avait que six pieds de large et deux brasses de long, mais elle était simplement et efficacement agencée. Une longue pierre d'écoulement, plate, lissée par les travaux quotidiens, était scellée dans le mur du fond. Un sillon l'entaillait, qui disparaissait entre les briques et évacuait l'eau. Sogdiam y nettoyait les fines pousses des oignons et les racines de rave. Il avait déjà rangé avec soin les sacs de légumes et de fruits secs dans de grands paniers de jonc à couvercles, alignés sur le côté. Sous un plateau en bois de palmier qui servait de table à pétrir, trancher ou broyer, d'autres paniers, sans couvercles ceux-ci, contenaient quelques concombres et deux petits melons à veines blanches.

Des bouquets de menthe, de sauge, de poivrons, d'anis, de cardamome et d'origan pendaient aux poutres du toit à côté de pièces de moutons et de poissons séchés qui se balançaient dans la chaleur du foyer. La paroi du four, en briques soigneusement maçonnées, haute de deux pieds et pareille à une citerne, occupait le centre de la pièce. À l'intérieur, tout au fond, une épaisse couche de braises rougeoyait entre des grosses pierres sur lesquelles reposait un cruchon d'eau déjà bouillante. Dans le toit, à l'aplomb, une ouverture ingénieusement biaisée permettait d'évacuer la fumée sans craindre que l'eau des pluies pénètre à l'intérieur de la pièce.

À peine entrée, Lilah demanda abruptement si la pâte pour les galettes était prête. Sogdiam se retourna pour lui jeter un regard. Il essuya ses mains mouillées à sa tunique, puis souleva sans un mot un linge sur le plateau à pétrir. Cinq boules bien rondes y reposaient.

Lilah appuya du doigt sur l'une d'elles. La pâte s'enfonça, souple et ferme. Elle reprit sa forme dès qu'elle ôta son doigt.

— Je les ai faites tôt ce matin, expliqua Sogdiam en reprenant sa tâche. Il nous restait de la farine de la semaine dernière.

— Alors, il n'y a plus qu'à les cuire si le four est assez chaud.

Le garçon songea à répliquer qu'il entretenait le feu depuis l'aube dans ce but. Il suffisait à Lilah de poser la main contre les briques pour s'en convaincre. Preuve qu'il ne mentait pas lorsqu'il affirmait connaître le jour de sa venue. Il jugea préférable de se taire.

À quoi bon ? Lilah ne lui accordait aucune attention. Elle ne s'apercevait même pas du mal qu'il se donnait. Il se frotta les yeux d'un revers du poignet, l'injustice les lui irritait plus encore que la chaleur du four.

Sans craindre de tacher le beau tissu de sa robe, Lilah saisit une boule de pâte. D'un geste habile elle l'aplatit entre ses paumes. Ensuite, d'un mouvement doux et régulier, elle fit tourner la pâte de plus en plus vite entre ses mains. Celle-ci prit la forme d'un disque souple, de plus en plus mince.

Lilah s'appuya des cuisses contre le cylindre du four. Avec l'habileté de l'habitude, elle se plia vivement en deux, plongea le visage dans la chaleur ardente. D'un coup sec, elle plaqua le disque de pâte contre la cloison intérieure. Avec un petit grésillement, la galette adhéra aux briques.

Lilah se redressa d'un mouvement de reins, releva une mèche de son front avant de saisir une autre boule de pâte.

Elle ordonna :

— Sogdiam, pendant que je prépare les galettes, fais chauffer un cruchon d'eau avec des feuilles de menthe et le vert des oignons frais, ceux que j'ai apportés tout à l'heure. Mais avant, taille-les menu. Et prépare aussi une cruche de lait pour maître Baruch.

Sogdiam obéit sans répondre.

Durant un moment, ils s'activèrent en silence chacun de leur côté. L'espace était si étroit qu'ils se frôlaient sans cesse. Ils faillirent se cogner l'un à l'autre au-dessus du foyer lorsque Sogdiam déposa les herbes dans le cruchon d'eau chaude au fond du four.

Quand elle eut plaqué la dernière galette, les joues et le front rougis par le feu, Lilah prit à peine le temps de s'essuyer les mains. Les sourcils froncés, elle souleva les couvercles des panières. Elle fit aussitôt la moue, surprise de n'y découvrir que les sacs préparés le matin par Axatria.

Elle se releva avec brusquerie. Son épaule heurta le bras de Sogdiam, qui soutenait la grande gourde de lait de chèvre que le jeune garçon transvasait soigneusement dans une cruche à double anse. La gourde lui échappa, la cruche se renversa, une giclée de lait aspergea les légumes et le mur devant la pierre d'écoulement. Sogdiam rattrapa le pot qui allait rouler et se briser au sol. Avec un geste d'humeur, il lança une bordée de jurons dans le dialecte de la ville basse.

— Sogdiam ! Pardonne-moi, s'exclama Lilah. C'est ma faute !

— Ah oui ! explosa Sogdiam en rebouchant la gourde d'un coup de poing. Tu peux le dire : c'est ta faute. Pas étonnant ! Depuis que tu es entrée dans la cuisine, tu me marches dessus comme si je n'étais pas là. Tu as les yeux grands ouverts, mais tu ne me vois pas plus que si j'étais un esprit du dessous de la terre !

— Sogdiam !

— Sogdiam fais ci, Sogdiam fais ça !... Sogdiam s'est levé à l'aube pour tout préparer. Sogdiam ne ment pas quand il dit qu'il t'attend. Toi, tu n'as qu'à mettre les galettes dans le four. Tout est rangé et propre. Tu peux soulever tous les couvercles de cette pièce ! Tout est rangé et propre ! Tu es venue sans Axatria pour t'aider, et moi je t'aide comme une servante. Mais Sogdiam peut toujours attendre qu'un merci sorte de ta bouche !...

— Hé ! Voilà que mon Sogdiam se met en colère, lui aussi ?

Lilah l'attrapa par les épaules. Elle l'attira contre elle, pressant ses lèvres sur son front.

— Pardonne-moi, Sogdiam. Pardonne-moi, lui chuchota-t-elle à l'oreille. Ne fais pas attention, c'est un mauvais jour. Ezra est en colère, Axatria est en colère, toi, tu es en colère, et moi...

Elle se tut en sentant le sanglot qui naissait dans sa gorge. Elle serra Sogdiam plus fort contre sa poitrine, moins pour réconforter le garçon que pour se rassurer elle-même.

— Bien sûr que je te vois, mon Sogdiam ! Bien sûr que je te dis merci.

Elle piqua ses paupières de petits baisers. Sogdiam ne répondit pas. Pas plus qu'il n'osa enlacer sa taille. Il demeurait simplement contre elle, le souffle court, le buste un peu raide, tout entier frémissant.

Lilah l'écarta doucement. Le regard de l'adolescent demeurait si méfiant qu'elle songea à un animal sauvage jamais vraiment apprivoisé.

— Souris !

La bouche de Sogdiam frissonna. Elle se tendit en une grimace qui n'était pas un sourire mais avouait l'immensité de l'affection et de la soif de tendresse du jeune garçon. Lilah lui attrapa le menton et l'obligea à lui faire face.

— Tu ne seras jamais mon époux, Sogdiam, dit-elle tout bas. Je suis bien trop vieille pour toi. Mais moi, je sais que je le regretterai souvent. Et je sais aussi que nous serons toujours amis !

Pendant quelques secondes ils demeurèrent ainsi. Le temps que Sogdiam, les prunelles scintillantes, se convainque que Lilah ne plaisantait pas. Alors, crânement, il se dégagea et déclara :

— Ça va. Il n'y a pas eu trop de lait renversé. Je vais nettoyer.

Le ventre noué, surprise par la violence de sa propre émotion, Lilah le regardait s'affairer, nettoyer et ranger la pierre plate, les récipients et les ustensiles salis. Un petit homme sérieux et courageux, fidèle et décidé. D'une détermination et d'un courage qui ne se rencontraient guère chez les garçons de son âge dans Suse-la-Ville.

D'un ton neutre, elle déclara :

— Je ne contrôlais pas ton travail, Sogdiam. Je sais bien que tu accomplis plus d'ouvrage qu'Ezra ne t'en demande. Je m'étonnais seulement que ces panières ne fussent pas plus pleines. Ezra ne mange rien, maître Baruch a un appétit d'oiseau. Il ne vous reste presque rien de l'orge et des légumes secs que nous vous avons apportés la dernière fois, Axatria et moi. Il devait y en avoir au moins quatre ou cinq mines de chaque ! J'ai du mal à croire que c'est toi qui manges tout le reste. Et il n'y a pas de raison de jeter.

Sogdiam ne répondit pas immédiatement.

— On ne jette rien. On donne, admit-il enfin.

— Vous donnez ?

— C'est Ezra qui en a eu l'idée.

— Que veux-tu dire ?

À nouveau, Sogdiam prit son temps avant de répondre. Ses yeux se baissèrent vers le four. La croûte noircissait au pourtour des galettes. Depuis un moment la pièce était envahie par l'odeur moelleuse de l'orge, mais ni l'un ni l'autre n'y avait prêté attention.

— Tes galettes roussissent, remarqua-t-il.

— Oh, Tout-Puissant !

Lilah attrapa prestement une longue spatule de bois et un épais tissu de serge. Elle bascula le buste au-dessus du four, les paupières plissées pour résister à la chaleur. Habilement, d'un coup de spatule, elle décolla les galettes sans les briser, les recueillant dans le tissu.

Elle se redressa en soufflant fort, le visage perlé de sueur.

— Ouche, un instant de plus et elles brûlaient !

— La tisane aussi doit être prête, déclara Sogdiam en plongeant à son tour dans le four pour en retirer le cruchon.

Lilah disposa les galettes dorées et fumantes sur un plateau de palmes tissées. Elle y ajouta quelques dattes et le pot de lait. Observant Sogdiam qui filtrait la tisane dans un grand bol, elle demanda à nouveau :

— Comment cela, vous donnez la nourriture ?

Sogdiam lui jeta un regard de reproche. Aussi réticent que s'il devait trahir un secret, il désigna la cour du menton.

— Il y a trois ou quatre lunes, une de ces femmes qui vivent dans les zorifés est venue jusqu'ici. Elle se lamentait si fort que tu aurais pu l'entendre dans Suse-la-Ville ! On lui a donné un peu d'orge.

Il s'interrompit avec un petit sourire.

— Attends.

À nouveau il se plia au-dessus de la margelle du four, retira de sous les cendres un petit plat de terre clos d'un couvercle.

— Une surprise pour maître Baruch, annonça-t-il, soulevant le couvercle en s'aidant d'un linge et guettant la réaction de Lilah.

Dans une volute de vapeur, un parfum alléchant roula jusqu'aux narines de Lilah.

— Mmm, ça sent délicieusement bon.

— Purée de rave, de datte et de poisson émietté, avec beaucoup de cardamome, du basilic et du lait caillé. Une recette que j'ai inventée.

— Mais maître Baruch a mal au ventre et dit qu'il ne veut rien manger !

— Oh, il a mal au ventre tant qu'il n'a pas ça sous le nez ! Tu verras, rien que d'en respirer l'odeur, il en frémira de plaisir.

Et lui, Sogdiam, en tremblait de rire. Lilah rit avec lui.

— J'ignorais que tu aimais faire la cuisine à ce point.

— J'essaie une chose ou une autre. Je fais des mélanges, je goûte. Si j'aime bien, je le propose à Ezra et à maître Baruch. Ils ne mangent pas beaucoup, mais ils goûtent. Ils ne sont pas difficiles. Parfois, ça leur plaît pour de bon. À maître Baruch surtout, en vérité. Il voulait toujours les mêmes bouillies d'orge, à cause de ses dents. Ou plutôt de son absence de dents. Et moi, j'en avais assez de sentir toujours la même odeur dans cette cuisine...

Lilah avait trempé une cuillère de bois dans le plat. La finesse des saveurs la surprit.

— Excellent !

Sogdiam rayonnait de fierté.

— Mais ce n'est pas en faisant cette cuisine que tu as vidé les panières, reprit Lilah. Alors, la femme qui est venue, pourquoi se lamentait-elle ?

— Toi, quand tu veux quelque chose ! soupira Sogdiam. « Plus de farine, plus de farine, plus rien à manger ! » voilà ce qu'elle braillait. Qu'elle avait trois garçons et plus rien de rien pour les nourrir.

— Alors ?

— Alors, elle a fait un tel tintamarre qu'Ezra a dû quitter son étude. « Sogdiam, pourquoi laisses-tu faire tout ce vacarme dans ma cour ? » Je lui explique. Il me demande : « Pourquoi son mari ne lui donne-t-il pas de quoi nourrir ses enfants ? » Comment je pouvais savoir ? Je pose la question à la femme. Elle me répond qu'elle n'a pas de mari. Ezra se fâche : « Elle a trois fils et pas de mari ? » Alors je lui ai rappelé que ma mère aussi avait eu un fils et pas de mari. « C'est bien pour ça que tu m'as pris avec toi ! » j'ai dit. Ezra avait son regard noir. Son regard de nuit sans lune, comme je l'appelle. À côté de nous, maître Baruch riait dans sa barbe, sans rien dire, comme à son habitude. La femme pleurait toujours au milieu de la cour. Des gémissements à vous faire grincer les dents. Ezra s'est décidé. Il m'a dit : « Donne-lui ce qu'il lui faut, et qu'elle cesse de pleurer. Je veux pouvoir étudier en paix. » Et voilà.

— Comment, voilà ? Tu lui as donné toute votre réserve ?

— Non. Juste ce qu'il lui fallait pour quatre jours.

Lilah hocha la tête, trop étonnée pour réagir. Puis elle demanda encore :

— C'était il y a longtemps ?

— Au mois de kislev, pour être précis.

— Ainsi, depuis, vous lui donnez de votre grain ? C'est pour cela que vos panières sont toujours aussi vides ?

Sogdiam baissa le front pour masquer un petit sourire malin.

— À elle et aux autres.

— Aux autres ?

— Au bout de quatre jours, la femme est revenue. Pas seule. Avec six autres femmes. Des plus jeunes qu'elle, mais qui vivent aussi dans des zorifés. Elles ne pleuraient pas, celles-là. Elles m'ont expliqué qu'elles étaient chacune dans la situation de la première. Un enfant ou deux, et pas de mari. Comme l'été et l'automne ont été très secs, les récoltes faibles, on ne les a pas laissées glaner. Elles avaient la faim au ventre. Ça se voyait, je te le jure.

— Tu leur as donné comme à la première ?

— J'ai d'abord demandé à Ezra. Il a eu son regard de nuit sans lune. Pas longtemps. Il m'a demandé si nous avions assez. J'ai dit que oui. « Alors, donne. Qu'elles ne pleurent plus. Donne et sois attentif à être juste dans la répartition, puisqu'elles n'ont pas le même nombre d'enfants. »

Lilah se tut un instant, les yeux fixes. Dans un souffle elle demanda :

— C'est ce qu'il t'a dit ?

— Oui.

Sogdiam la dévisageait maintenant avec inquiétude en se mordant les lèvres.

— Tu penses que j'ai mal fait ? Ce sont des femmes comme était ma mère et...

— Oh, Sogdiam, souffla Lilah en crispant son sourire pour ne pas laisser passer les larmes. Bien sûr que tu as fait ce qu'il fallait.

*
**

Comme Sogdiam l'avait prévu, maître Baruch oublia les aigreurs de son ventre et son désir de tisane en humant le fumet du plat préparé par le garçon. Un instant, un mince sourire aux lèvres, il se laissa envahir par le parfum des mets.

— Délicieux, murmura-t-il, le visage ravi, tandis que Lilah l'installait confortablement. Exquis !

Sogdiam avait aidé Lilah à apporter les récipients et à disposer des écuelles sur le coffre d'écriture. Son œil étincelait de fierté.

— Je l'ai cuisiné en pensant à vous, mon maître. Et à vos dents, ajouta-t-il en s'inclinant.

— L'Éternel te bénisse, garçon, tout sauvage que tu sois !

Sogdiam redevint très sérieux.

— Sauvage aujourd'hui, mon maître. Peut-être qu'un jour vous ferez de moi un bon Juif !

Maître Baruch eut un grondement de rire.

— Si tu crois que l'on devient fils d'Israël en faisant cuire des raves et du poisson !... Mais qui sait si l'Éternel ne fera pas une exception pour toi ?

Le rire clair de Sogdiam lui répondit tandis qu'il s'éloignait au-dehors dans une boiterie dansante.

Enveloppant les frêles épaules de maître Baruch d'une couverture, Lilah remarqua :

— J'ignorais que Sogdiam prenait aussi bien soin de vous.

— Oh, pour un barbare, ce garçon possède assurément beaucoup de qualités, gloussa maître Baruch. Peut-être l'Éternel a-t-il déjà fait une exception pour lui.

Sous la fenêtre où il avait poussé son tabouret, Ezra n'avait pas levé les yeux du rouleau d'écriture déposé sur ses genoux.

— Maître Baruch, ne peux-tu convaincre Ezra qu'il doit lui aussi manger de temps en temps ? Les nouvelles de Jérusalem ne seront pas meilleures parce qu'il meurt de faim.

— Juste ! Tout à fait juste, ma colombe. Et j'ajouterai : son étude n'en sera pas meilleure, elle non plus. Un ventre vide n'allège ni les yeux ni les oreilles.

— Je mange à ma faim ! protesta Ezra avec agacement sans relever le front.

— Alors augmente ta faim ! s'énerva Lilah.

Paraissant indifférent à la dispute qui naissait, maître Baruch ferma les paupières au-dessus de l'écuelle que remplissait Lilah. Mais après avoir lentement dégusté une cuillerée, de sa voix qui ne semblait jamais donner d'ordre mais obtenait toujours l'obéissance, il murmura :

— Ainsi est l'ironie de l'Éternel. Nous sommes sombres et malades car nous recevons des nouvelles de Jérusalem. Sogdiam fait la cuisine, et l'ombre de Jérusalem ne nous fait plus mal au ventre, seulement au cœur et à l'esprit. Est-ce pour cela que Néhémie a échoué ? Ou parce que ceux de Jérusalem n'ont plus ni cœur ni esprit pour souffrir de ce qu'ils sont devenus ? Lilah a raison, mon garçon. Fais honneur à notre Sogdiam et viens partager mon repas.

Ezra s'y résolut en maugréant. Après quelques cuillerées avalées de mauvaise grâce, il sembla lui aussi trouver sans peine son plaisir dans l'écuelle, et il la vida rapidement.

Lilah le contemplait en souriant. Ainsi était Ezra. Sévère, sérieux, obstiné, tenaillé jusqu'au fond du cœur par le désir de faire bien, de faire juste. Et parfois trop impatient, trop impulsif, intransigeant, insoucieux de la vérité de la vie, comme si les années d'enfance se refusaient à le quitter. Mais peut-être était-ce là seulement l'effet de sa foi, lui qui, affirmait maître Baruch, devenait sage comme aucun sage, pur comme aucun pur.

Ezra devina le regard de sa sœur. Il lui sourit. Un sourire qui depuis plus de vingt années ravissait Lilah. Un sourire qui disait l'inépuisable amour liant le frère et la sœur et, mieux qu'aucune caresse, les unissait ainsi que les deux sons accordés d'une même lyre, dans une même tendresse, effaçant les doutes et les disputes.

Aujourd'hui, pourtant, Lilah resta sourde à son appel. Le cœur serré, elle contemplait le visage bien-aimé d'Ezra et songeait au bien-aimé Antinoès.

Dieu du ciel ! Comment prononcer les mots qu'elle s'était répétés la nuit durant ? Comment confier à Ezra ces phrases qu'elle avait consignées sur le rouleau de papyrus à présent dissimulé sous sa couche ?

Elle ferma les paupières. La prière, qu'elle avait su alors trouver, emplit à nouveau son esprit :

« Ô Yhwh, Dieu du ciel, Dieu de mon père, implora-t-elle, donne-moi la force de trouver les mots pour convaincre Ezra ! Donne-lui la force de les entendre. »

Ezra se méprit sur son silence et ses yeux clos.

— Lilah, ma sœur, ne sois pas triste, je mange, je mange ! Tu as eu raison d'insister, c'est très bon. Qui aurait dit que Sogdiam aurait du goût pour la cuisine ? Lui qui est arrivé ici comme un chien efflanqué ?

Lilah se reprit et lui sourit affectueusement.

— Il m'a raconté, pour ces femmes à qui tu donnes de la nourriture.

— Oh ! Oui. Il le fallait bien.

Ezra but à petites gorgées son gobelet de lait.

— C'est sans importance, reprit-il.

— Comment, sans importance ? s'offusqua Lilah. Bien sûr que c'est important ! Ces femmes sont dans le besoin. Qui peut, ici, dans la ville basse, les aider, sinon vous, maître Baruch et toi ?

Par-dessus son gobelet, Ezra jeta un regard à maître Baruch. Le vieil homme essuyait le fond de son écuelle avec un morceau de galette qu'il prit le temps d'avaler avant de relever ses yeux moqueurs.

— Les prochaines fois, insista Lilah, j'apporterai un peu plus afin que vous n'ayez pas à compter juste pour vos propres repas.

Maître Baruch laissa fuser son gloussement grinçant.

— Lilah, ma colombe, ce n'est pas Ezra qui aide ces pauvres femmes. Et moi moins encore, qui ne suis, comme tu viens de le constater, qu'un ventre. Il est écrit dans le rouleau des lois enseignées à Moïse : « *Ne glanez pas les glanes de la moisson, laissez-les au pauvre*

67

et à l'immigré ! » Ce grain, est-ce nous qui le glanons et l'apportons ici ? Lilah, sans toi, ces femmes qui sont venues dans cette cour regarderaient aujourd'hui leurs enfants hurler de faim. Et nous, les sages de Sion, nous n'aurions qu'un ventre vide, aigri et vicié par les mauvaises nouvelles et les remords !

Rougissant d'embarras, Lilah se leva prestement pour desservir la table. Elle allait franchir le seuil de la pièce quand Ezra remarqua, comme s'il venait seulement d'en prendre conscience :

— Axatria n'est pas venue avec toi aujourd'hui ?

— Elle m'attend à l'entrée de Suse-la-Ville.

— Pourquoi ? Craint-elle de me voir ? s'étonna Ezra en riant.

— Oh, certes non ! Axatria ne rêve que de te voir.

Lilah eut une hésitation avant d'ajouter :

— C'est moi qui lui ai demandé de me laisser venir seule aujourd'hui.

— Pourquoi ?

Lilah hésita encore. Maître Baruch avait laissé rouler sa tête contre les coussins qui le soutenaient et semblait assoupi.

— Antinoès est de retour, annonça-t-elle d'une voix très basse.

L'expression d'Ezra ne changea pas. Il ne répondit pas.

Peut-être n'avait-il pas entendu ?

— Il est de retour, répéta Lilah. Nous nous sommes vus hier. Il s'est battu contre les Grecs de Cyrus le Jeune et a reçu la cuirasse des héros du Roi des rois.

Lilah se tut. Ses propres mots lui paraissaient incongrus et déplaisants. Elle voulait dire : « Je l'aime, je le veux pour époux. Et lui n'a pas d'autre volonté. J'aime être dans ses bras. Et je t'aime toi aussi de tout mon cœur de sœur. » Mais les mots qui sortaient de sa bouche étaient froids et craintifs, dénués de couleurs.

Et le visage d'Ezra restait de pierre.

Un instant, ils demeurèrent aussi silencieux et immobiles l'un que l'autre.

— C'est pour me dire cela que tu as empêché Axatria de venir avec toi ?

— Non, souffla Lilah, espérant que maître Baruch n'allait pas se réveiller. Ce n'est pas pour cela. C'est pour que nous parlions, toi et moi. Antinoès n'a pas changé d'avis. Il n'a pas changé du tout, en rien. Et moi non plus... quand je le revois.

Ezra se leva avec brusquerie et alla se rasseoir sur son tabouret d'étude.

— Tu as aimé Antinoès, Ezra. Nous...

— Tais-toi ! l'interrompit Ezra. Je n'étais qu'un enfant, un jeune homme ignorant. Aussi ignorant qu'on peut l'être dans la famille de notre oncle. Aussi ignorant que le sont devenus les fils d'Israël en exil. Cela n'est plus.

— Ezra, je le sais mieux que personne et je suis fière de ce que tu es, de ce que tu deviens. Jamais je ne...

— Un guerrier de Perse rentre à Suse-la-Ville, l'interrompit Ezra. Et alors ? Si cela est une nouvelle pour toi, ma sœur, ça n'en est pas une pour moi.

Lilah réunit ses mains pour les empêcher de trembler, mais elle soutint le regard de son frère.

— Ne sois pas si intransigeant ! As-tu vraiment oublié que tu appelais Antinoès ton « frère » ? As-tu oublié qu'il te tenait la main quand tu pleurais notre père et notre mère ? As-tu oublié que tu m'embrassais en l'embrassant ?

Ezra eut un drôle de sourire, beau et profond. Mais qui n'adoucit en rien ses traits.

— Je n'oublie rien, Lilah. Je travaille chaque jour avec maître Baruch pour ne rien oublier de ce que nous sommes, nous, le peuple de l'Alliance avec l'Éternel. Je n'oublie rien qui ne mérite d'être oublié. Je n'oublie pas que tu es ma sœur bien-aimée. Que sans toi la vie ne rentrerait jamais dans cette masure, ni la beauté ni la tendresse. Je n'oublie pas qu'il y a toi et moi et que rien, pas même ton guerrier perse, ne peut souiller l'amour éternel de Lilah pour Ezra.

Maître Baruch ne dormait plus. Il regardait Lilah intensément. Elle se leva, avança vers le seuil avec le désir de quitter la pièce sans un mot. Mais ce fut plus fort qu'elle. Elle se retourna et déclara, le ventre noué :

— Rien de ce qui me vient de mon guerrier perse ne me souille, Ezra. C'est lui qui fait entrer la vie et la beauté et la tendresse en moi.

Un jour de colère

Sarah, épouse de Mardochée, surveillait les ouvrières. Elle allait d'un métier à l'autre, observait les ouvrages, la régularité des mailles et l'ordonnancement des couleurs, la pression d'une trame, le grain d'une ligne, la qualité d'un nœud.

Bien qu'aujourd'hui elle eût grand-peine à s'y intéresser. Sans cesse, elle éprouvait le besoin de sortir dans la cour. Une cour vide où le soleil d'automne dessinait de longues ombres qu'effaçait de temps à autre le passage d'un nuage.

Une grimace d'agacement pinça ses lèvres si parfaitement dessinées pour les douceurs de l'existence. Un pli se creusa entre ses sourcils et durcit son visage alors qu'elle retournait à l'atelier.

C'était une longue et vaste galerie ouverte par une succession d'arches. La lumière y pénétrait sans entraves jusqu'au mur opposé, blanchi à la chaux, où sept tisserandes se tenaient côte à côte.

Autour des métiers s'entassaient des bobines de fils, des navettes vides ou pleines, des règles à serrer, des baquets remplis d'aiguilles d'os ou de bois. Des lames de bronze de différentes tailles, permettant les mesures, étaient soigneusement disposées sur des chevalets bas. À l'une des extrémités de l'atelier, derrière deux grandes

71

navetteuses à pédales, une cinquantaine de paniers méticuleusement rangés contenaient un assortiment de fils de laine offrant toutes les couleurs de la création. À l'autre bout de l'atelier, on suspendait les nattes achevées à des portants de bois.

Quelques ouvrières allaient et venaient, charriant des paniers de navettes. Les tisserandes, elles, se tenaient assises sous les métiers à tisser. Le haut des cadres était suspendu à des anneaux de bronze scellés dans le mur à hauteur d'homme. Le bas des métiers reposait sur de petits tréteaux sous lesquels les femmes pouvaient glisser leurs cuisses. Certaines, s'aidant de coussins, préféraient replier leurs jambes, les mollets sous les fesses. D'autres choisissaient d'installer un simple amas de vieilles laines entre leurs fesses et le sol de briques crues.

Les mains s'agitaient avec précision et célérité, glissant, écartant, tirant, comptant. Des poids pareils à de minuscules roues étaient noués aux fils verticaux. À chaque passage des navettes ils frappaient ventres, cuisses ou poitrines. Leurs cliquetis et les claquements des règles résonnaient jusque dans la cour, parfois si intensément qu'ils faisaient songer à la mastication d'un fabuleux et insatiable animal.

Pas une des ouvrières ne levait le visage ou ne se détournait de sa tâche. Elles devinaient l'approche de Sarah aussi bien que si elles possédaient des yeux derrière la tête. Alors, leurs mains semblaient voler encore plus vite et plus habilement entre les fils.

Voilà bientôt une quinzaine d'années que Sarah, à la suggestion de son époux Mardochée, avait ouvert son atelier. Aujourd'hui, elle en connaissait chaque grain de poussière. Au seul bruit des navettes, des règles ou des aiguilles, elle savait si l'on y travaillait bien ou mal.

Bien que ce fût une grande astreinte, Sarah surveillait elle-même, et minutieusement, la progression des ouvrages. Chaque jour, elle apparaissait à l'improviste, tantôt le matin, tantôt l'après-midi.

La douceur de son apparence, la paisible rondeur de ses formes et de son visage s'accordaient avec une partie de son caractère. Elle s'énervait rarement, et seulement quand la même faute se répétait entre les mêmes mains. Le plus souvent ses doigts frôlaient gentiment une épaule ou une nuque. Ou caressait une joue, celles des toutes jeunes, les nouvelles que l'atelier intimidait et qu'un peu de bienveillance encourageait à oublier la douleur de leurs doigts et de leurs reins.

Par exception elle formulait un compliment. Mais les compliments n'avaient de valeur que par leur rareté. Rien n'était pis qu'une excellente ouvrière qui devient trop fière d'elle-même. Un triste gâchis, pareil à ces merveilleuses pêches du Zagros qui parvenaient à Suse-la-Ville au mois d'éloul. Bien mûres, certes, mais à dévorer dans l'instant car déjà sur le point de se gâter.

Quant aux vieilles tisserandes, Sarah n'en voulait pas. Elles avaient, certes, l'expérience d'une longue pratique, mais plus encore de mauvais caractères. En vérité, il en allait du corps comme de l'esprit : pour la souplesse, rien ne valait la jeunesse.

On devait choisir des filles avec le goût d'apprendre et d'obéir. Il en fallait aussi quelques-unes avec autre chose qu'une graine de lentille dans le crâne. Mais toutes devaient savoir obéir.

Un atelier de cette réputation ne se menait pas sans autorité. Sous les sourires, la bouche de Sarah savait être cinglante et son regard impitoyable. Et ceux des fournisseurs, marchands de laine ou des innombrables outils indispensables, que ses rondeurs toujours élégamment mises en valeur portaient à la rêverie, apprenaient vite à s'en défier lorsque l'heure des comptes arrivait.

Une bonne part des tapis et nattes produits par Sarah servaient à embellir les bancs des chars construits par son époux. Mais elle pouvait réaliser bien d'autres ouvrages : tapis et nattes à la mode de Judée, de Médie ou de Parsumah, de Lydie ou de Susiane. Désormais, il n'était guère de noble famille de Suse-la-Citadelle, de Babylone ou d'Ecbatane qui ne possédât un article sorti de l'atelier de Sarah, femme de Mardochée et fille de Réka.

Après les bons repas du soir, arrosés de bière de palme, riant et se voilant la bouche de ses doigts potelés, Sarah aimait dire qu'elle avait au moins un point commun avec le Roi des rois : son atelier aussi régnait sur toutes les régions de la grande Perse. Que l'Éternel lui pardonne cette vanité !

Aujourd'hui, cependant, elle avait la tête ailleurs.

Lilah, sa nièce, n'était toujours pas revenue de la ville basse.

Qu'avait-elle besoin de scruter la cour pour le savoir ? Les roues du char feraient bien assez de bruit sur le pavement pour qu'elle l'entende.

S'obligeant à accorder toute son attention au travail, elle demanda à une jeune femme longue et mince qui la suivait avec respect, à deux ou trois pas derrière elle :

— Hélamsis, as-tu fait le compte des nattes achevées ce matin ?

— Oui, maîtresse. Cinq. Elles sont à leur place sur le chevalet.

Hélamsis montra le fond de l'atelier. Sarah s'y dirigea en ajoutant sèchement :

— As-tu vérifié qu'elles sont à la bonne taille ?

La réponse d'Hélamsis se perdit dans les claquements des navettes et des règles. Sarah ne lui demanda

74

pas de répéter. Hélamsis savait que c'était inutile. Lorsque sa maîtresse était de cette humeur, mieux valait la suivre avec calme et acquiescer le plus souvent possible. Hélamsis pourrait jurer sur la colère d'Ahura-Mazdâ que chacun des tissages possédait parfaitement la longueur et la largeur souhaitées, Sarah n'en irait pas moins vérifier par elle-même.

Ce qu'elle se mit à faire méticuleusement avant de replacer les nattes sur le chevalet avec un soupir. Il n'y avait rien à redire, elles étaient parfaites.

Sarah allait demander à Hélamsis de les porter de l'autre côté de la cour, dans l'atelier de Mardochée, lorsque le grondement tant attendu résonna. Hélamsis, qui connaissait bien la raison de l'impatience de sa maîtresse, annonça avec soulagement :

— Ah ! voici le char de ta nièce Lilah !

— Eh bien, en voilà des manières ! s'exclama Sarah.

Alors qu'elle tendait la main vers Lilah pour l'aider à descendre du char, Axatria la bouscula sans ménagement.

— Ne pourrais-tu t'excuser, ma fille ? gronda encore Sarah.

Le reproche demeura sans effet. Axatria traversa la cour de réception à grands pas, traînant derrière elle le couffin vide. Elle disparut entre les colonnades conduisant à la seconde cour, réservée aux appartements et aux cuisines.

— Que lui arrive-t-il ? souffla Sarah, qui n'en revenait pas.

— Oh ! aujourd'hui, c'est jour de colère, répondit Lilah en sautant légèrement du char. Tout le monde est en colère, Axatria, Ezra, et même Sogdiam !

— De colère ? Pourquoi donc ? À cause de *lui* ?

Lilah ne put retenir un petit sourire. *Lui* ne pouvait être qu'Antinoès. Elle n'eut que le temps de replacer son châle sur ses épaules avant que sa tante ne lui saisît le coude.

— Viens, ne restons pas là. J'ai fait porter de la tisane de sauge et de rose dans ma chambre.

En vérité, ce que Sarah appelait sa chambre consistait en deux pièces spacieuses. L'une était une vraie chambre, tandis que l'autre, agrémentée de tables basses, de coffres et de quantité de coussins, servait de pièce de réception. Ouverte tout à la fois sur la seconde cour et sur les jardins entourant la maison, elle offrait une vue aussi paisible que délicieuse. Entre les cyprès et les eucalyptus on pouvait admirer les formidables murs et colonnes de Suse-la-Citadelle. Sarah en était très fière et aimait y recevoir ses amies comme les épouses des clients importants.

— Allez, raconte-moi, raconte-moi tout ! Qu'a-t-il dit ? questionna-t-elle, la bouche gourmande, en s'allongeant sur les coussins.

Lilah songea que toute cette gaieté s'effacerait dans peu de temps. Mais elle évita de répondre directement à l'impatience de sa tante.

— Ezra et maître Baruch ont reçu de mauvaises nouvelles de Jérusalem, annonça-t-elle, comme si c'était là ce qu'on lui demandait. Le sage Néhémie est mort sans avoir pu accomplir sa mission. Le Temple est peut-être redressé, encore qu'Ezra en doute. Mais il est souillé de toutes sortes de mauvaises pratiques, et la ville elle-même vit de nouveau sans loi ni protection pour les Juifs.

Versant la tisane dans les gobelets d'argent, Sarah suspendit son geste. La surprise plissa son front.

— Oui, je sais. Mardochée nous a raconté cette histoire il y a quelques jours. C'est triste, il est vrai, admit-elle en reposant le pot de tisane. Mais, bon...

— Ezra était noir de fureur. Il considère qu'on nous a trompés, nous, les Juifs de l'exil. Et que nous nous sommes laissé abuser trop facilement, alors que les lois de Yhwh ne sont pas respectées et que les fils d'Israël sont en danger.

— Ezra est toujours noir de fureur et il nous croit toujours coupables de tout, soupira Sarah, agacée.

— Non, ma tante. Il pense seulement que nous ne prêtons pas assez d'attention à ce qu'il se passe à Jéru-salem...

Sarah l'interrompit, agitant les mains comme pour repousser une fumée importune.

— Lilah ! Lilah, mon enfant ! Laisse ces histoires à Ezra et à Mardochée. Elles ne sont pas pour nous, les femmes. Moi, ce que je veux savoir, c'est ce qu'il a dit de ton mariage avec Antinoès.

Évitant son regard, Lilah suivit des yeux un vol d'hirondelles qui tournoyait au-dessus du jardin. Allait-elle, elle aussi, se mettre en colère aujourd'hui ?

Depuis qu'elle avait quitté la ville basse, elle redou-tait cet instant. Elle devinait d'avance chacun des mots qui allaient être prononcés. Des plaintes et des repro-ches déjà tant de fois entendus, sans le moindre effet. Si Ezra se montrait souvent injuste envers son oncle Mardochée et sa tante, eux ne l'étaient pas moins envers lui, se refusant obstinément à juger son comportement avec un peu de bonne foi. Ne pouvaient-ils, au moins, respecter ses choix, admirer son courage ?

Si seulement ils faisaient l'effort d'un peu de compréhension au lieu de s'obstiner dans les repro-ches ! Décidément, oui, ce jour était celui de la colère.

Lilah essaya de s'apaiser en buvant une gorgée de la tisane brûlante. Cette boisson qu'affectionnait sa tante, au goût âpre et doucereux tout à la fois, semblait avoir été conçue à son image.

Sarah était penchée vers elle. La curiosité lui plissant le visage, elle souffla :

— Je sais que tu étais avec Antinoès la nuit dernière. Je t'ai entendue rentrer.

Elle gloussa et ajouta :

— Ce n'était pas l'envie qui me manquait d'aller te voir sur-le-champ, pour que tu me racontes tout. Mais Mardochée avait décidé de dormir avec moi. Une fois n'est pas coutume !

*
**

Les questions fusaient et Lilah répondait le plus brièvement possible à cette inquisition. Oui, Antinoès l'aimait toujours de la même passion. Oui, il était devenu un héros du Roi des rois. Oui, il la voulait pour épouse. Oui, oui...

— Et Ezra ?

Lilah se mordit les lèvres. Puis, devant les grands yeux brillants d'impatience de sa tante, elle sourit.

— Ezra est comme Antinoès, répondit-elle. Il n'a pas changé, lui non plus.

— Pas changé ? Tu veux dire ?

— Tu sais ce que je veux dire, ma tante.

Le visage de Sarah n'avait plus rien de doux ni de tendre.

— Il ne veut pas de ton mariage, c'est ça ?

— Il est dans son étude et rien d'autre ne l'intéresse, répliqua Lilah avec patience.

— Ce que je sais, c'est qu'il est fou et qu'il causera ton malheur.

78

À présent la voix de Sarah était aussi dure que lorsqu'elle découvrait un défaut dans un tapis.

Lilah fut sur le point de se lever. De quitter la pièce. Elle aussi avait envie de prononcer des paroles définitives. Envie d'affirmer haut et fort qu'elle n'était plus une enfant, que tout cela ne concernait qu'elle seule et qu'on devait la laisser en paix. Mais ce serait se cacher la vérité. Qu'elle le veuille ou non, ses épousailles avec Antinoès les concernaient tous.

Elle s'obligea à répondre avec calme :

— Non, je n'ai pas parlé du mariage. Ce n'était pas la peine.

— Pas la peine ? Pas la peine de parler de ton mariage ? Qu'est-ce que tu racontes ?

— Il n'y a rien de tellement urgent, tante Sarah. Laisse un peu de temps à Ezra. Il sait qu'Antinoès est de retour. Il va y songer.

— Y songer ! s'écria Sarah. On sait comment il va y songer.

Lilah se tut.

— Mais toi ? reprit Sarah en fronçant les sourcils. Toi, tu le veux ce mariage, n'est-ce pas ? Vous vous aimez ! Vous vous êtes promis...

— Ce que nous nous sommes promis ne regarde que nous, ma tante !

Malgré elle, Lilah avait parlé sèchement tout en reposant brutalement son gobelet sur le plateau.

Une plainte sourde s'échappa de la poitrine tremblante de Sarah. Elle se tourna vers le jardin. Elle pleurait. Elle avait une manière très particulière de pleurer, sans un bruit et presque sans larmes. Un violent frisson lui parcourait la gorge et faisait trembler ses lèvres.

— Tante Sarah !

— Tu ne veux plus te marier ?

— Ce n'est pas ce j'ai dit.

Sa tante la considéra un instant avec stupeur, puis secoua la tête.

— Je ne vous comprends pas ! Ton frère, il y a long-temps que je ne le comprends plus. Mais toi, aujour-d'hui...

— Ezra fait ce qui lui semble juste, répéta Lilah en se souvenant qu'elle avait usé des mêmes mots pour apaiser Antinoès.

— Ah oui ? Qu'est-ce que ça veut dire, juste ? Faire tout ce qu'il peut pour peiner son oncle et sa tante ?

— Tante Sarah ! Ezra n'est plus un enfant depuis longtemps. L'oncle Mardochée et toi, vous savez ce qu'il fait dans la ville basse, et pourquoi. Vous devriez en être fiers et reconnaître sa grandeur.

— Sa grandeur ! glapit Sarah. Dans la ville basse ? Comme si ce n'était pas pour nous faire honte ! Ses études, il pourrait très bien les mener ici. Même avec son vieux sage venu d'on ne sait où comme un men-diant. Il n'y a pas meilleur homme que Mardochée. Même après tout ce temps, il accueillerait encore Ezra les bras grands ouverts. Mais non !

— Tante Sarah, il est des lois pour les Hébreux, s'enflamma Lilah en quittant les coussins. Des lois pour nous tous. Pour chaque instant de notre vie, et qui nous viennent du Dieu du ciel. L'exil nous les fait oublier. Elles sont inscrites dans le rouleau de Moïse. Celui qui est passé de père en fils dans notre famille depuis des générations. Aujourd'hui, le rouleau de la Loi revient à Ezra. Il veut en faire l'étude. Pas uniquement l'étude : il veut en respecter l'enseignement. N'est-ce pas son droit ? Peut-être même son devoir ? Ne doit-on pas l'admirer pour cela comme on nous apprend à admirer les Anciens, les Patriarches, les Prophètes ?

— Quelle modestie ! Ezra l'égal des Anciens, des Patriarches et des Prophètes. Rien que cela !

Un instant, elles s'affrontèrent du regard. Finalement Sarah haussa les épaules et remarqua, désabusée :

— Tu parles de plus en plus souvent comme lui.

— Je ne parle pas comme lui. Mais je comprends ses raisons.

— Tu as bien de la chance.

Sarah passa ses doigts sur son front et ses yeux comme si elle voulait en faire surgir une image.

— Vous étiez là, dans la maison, dans le jardin, à vous chamailler et à vous adorer, soupira-t-elle. Mon frère Ezra par-ci, mon frère Antinoès par-là ! Je vous entends encore.

— Ezra n'est plus cet Ezra-là, tante Sarah, répliqua durement Lilah.

— Oh ! je m'en suis aperçue ! Et toi non plus, tu n'es plus pareille.

La voix de Sarah se brisa. Son cou et son menton se remirent à trembler. Dans un sanglot, elle ajouta :

— Antinoès est un capitaine de char ! Il combat près du grand Tribaze. Il peut entrer dans l'Apadana quand il le désire, être invité au repas du Roi des rois...

Lilah devinait parfaitement ce que ressentait sa tante. Depuis toujours Sarah avait aimé Antinoès comme un fils. Mais elle aimait aussi la noblesse de sa famille, le brillant de son nom et de son origine. Elle aimait l'orgueil de pouvoir dire à ses clientes qu'Antinoès, fils d'Artobasanez, défunt satrape de Margiane, serait désormais l'époux de sa nièce et l'héritier de Mardochée.

Lilah s'écarta de la table et des coussins. Aussitôt sa tante fut debout, se précipitant vers elle.

— Lilah ! Pardonne-moi, ma chérie. Je sais que tout cela est difficile pour toi. Tu aimes Ezra et... nous l'aimons tous.

Lilah se laissa prendre les mains. Sa tante soupira, trouva la force d'un petit sourire.

— Peut-être as-tu raison, après tout ? Tu as toujours su te débrouiller avec lui. Peut-être vaut-il mieux ne pas lui parler d'Antinoès en ce moment ? Son humeur peut être si changeante. Dans quelques jours...

L'espoir sonnait faux. Lilah se détourna avec gêne. Mais sa tante la retint, le visage à nouveau sérieux, la voix basse et ferme :

— Mieux vaut également ne rien dire à ton oncle, ma chérie. Tant qu'Ezra ne s'est pas décidé. Mardochée tient tellement à ton bonheur. Cela fait si longtemps qu'il attend ce moment. Ce mariage est si important pour lui ! Pour nous tous. Pour les ateliers. Tu comprends ?

Les amis de la reine

Comment dormir ?

La voix d'Antinoès disait : « Nous sommes ensemble pour toujours. Sans ton amour, je serais si faible qu'un enfant grec pourrait me vaincre. »

La voix d'Ezra disait : « Ne souille pas les murs de cette pièce avec son nom. »

La voix de tante Sarah disait : « Ce mariage est si important pour nous tous ! »

D'un geste rageur, Lilah rejeta la couverture entortillée entre ses jambes. Un mauvais rêve l'avait réveillée. Depuis, elle cherchait en vain à retrouver le sommeil. L'obscurité de sa chambre, l'air aussi suffocant que si l'on y avait brûlé des bâtons de cèdre semblaient peser sur elle.

À tâtons, elle trouva son châle et le passa par-dessus sa tunique de nuit. Les pieds nus, repoussant sans bruit le volet, elle sortit sur l'étroite terrasse bordée d'un mur crénelé en surplomb de la cour intérieure et qui longeait les salles des femmes.

Elle respira profondément, sentant enfin sa gorge se dénouer.

Voilé par les nuages, le ciel était d'une opacité lourde, sans étoile ni lune. Le vent de l'ouest, venu du désert, soufflait par rafales. Bientôt, il faiblirait. Le *zarhmat*, charriant du nord les pluies d'automne et le gel de l'hiver, le chasserait.

Comme chaque nuit, le diadème de l'Apadana brillait au-dessus de la ville endormie. Lilah ne put s'empêcher de songer à nouveau à Antinoès.

Ses yeux cherchèrent la tour qui avait accueilli leurs amours. Elle demeurait invisible, mais Lilah la voyait quand même, comme elle percevait encore sur sa peau le souffle d'Antinoès, le frisson de ses caresses.

Elle posa les mains sur le mur, y quêtant un appui qu'elle aurait voulu trouver sur les épaules et la poitrine solide de son amant. Car c'était cela que représentait Antinoès pour elle : pas seulement la brûlure du désir, mais une paix et un calme que nul autre ne lui offrait. Et surtout pas Ezra.

Les remords qui l'avaient réveillée revinrent, impitoyables. Tante Sarah avait raison. Elle avait manqué de courage devant Ezra. Au premier signe de sa colère contre Antinoès, elle s'était tue. Elle n'avait pas tenu sa promesse.

Que dirait-elle à son amant lorsqu'ils se reverraient ? « Patiente. Patiente encore ! »

Il lui répondrait : « Il y a si longtemps que je patiente. »

En cet instant, dormait-il ou, comme elle, était-il debout, l'esprit dans la tourmente ? Peut-être même debout sur la tour, cherchant à la deviner à travers la nuit ?

Cette pensée enfantine la fit sourire.

— Lilah...

Le chuchotement la fit tressaillir. Elle se retourna, le cœur battant.

Il n'y avait autour d'elle que la noirceur de la nuit.

— C'est moi, Lilah. C'est moi, n'aie pas peur.

Elle reconnut la voix d'Axatria, tandis qu'une silhouette d'ombre prenait forme à son côté.

— Axatria ! Que fais-tu ici ?

— Je ne voulais pas t'effrayer.

— Pourquoi ne dors-tu pas ?

Axatria eut un petit rire tendre et lui attrapa la main.

— Pour la même raison que toi, murmura-t-elle.

Elle releva sa main nouée à celle de Lilah pour la presser contre sa joue. Lilah devina l'humidité des larmes.

— Tu pleures ?

— Je me disais que j'étais sotte et que je devais te demander pardon.

— Qu'ai-je à te pardonner ?

— Ma bêtise. Ma mauvaise humeur. De t'avoir chicané ce matin. Je pensais que tu ne dormais pas toi non plus et que je devais aller te rejoindre dans ta chambre, mais...

Lilah enlaça la servante, la serra contre elle.

— Je te pardonne, Axatria. Je te pardonne, bien sûr.

Axatria la repoussa doucement, soupira en s'essuyant les joues avec le pan de sa tunique.

— J'ai peur.

— Peur ? Peur de quoi ?

— Si tu te fâches avec Ezra, que deviendrai-je ?

— Axatria...

— Lilah, Antinoès est revenu pour t'épouser. Voilà pourquoi tu vas te disputer avec Ezra.

Lilah regarda la nuit et demeura silencieuse.

— Ezra n'acceptera jamais que tu deviennes l'épouse d'Antinoès. Si tu le fais, il ne voudra plus jamais te voir. Tu ne seras plus sa sœur.

— Comment peux-tu en être aussi certaine ? Il te l'a dit ?

— Ce n'est pas la peine. Tu sais bien qu'il en ira ainsi.

Loin dans la ville royale, des chiens aboyèrent. Un son de trompe ou de flûte s'éleva dans l'obscurité. Puis le vent en emporta l'écho. Il y avait des maisons où la nuit était une fête...

Axatria soupira :

— Ezra ne peut se passer de toi. Mais il préférerait quand même ne plus te revoir s'il devait te partager avec Antinoès.

Elle disait vrai, Lilah le savait. Axatria décrivait exactement la menace qu'elle redoutait.

— Antinoès non plus ne peut se passer de moi, répliqua-t-elle tout bas. Il assure que je le protège dans les combats.

Axatria approuva d'un hochement de tête.

— Je le crois. Oui.

Axatria serra la main de Lilah à lui faire mal. Elles étaient si proches l'une de l'autre, épaule contre épaule, que Lilah ressentait les secousses des sanglots qu'Axatria maîtrisait de son mieux.

— Tu devras choisir Antinoès. Tu es trop belle et trop fière pour demeurer dans l'ombre d'un frère. Mais si Ezra ne veut plus te voir, il ne voudra pas me voir non plus.

Lilah se raidit pour ne pas céder à l'émotion contagieuse d'Axatria.

— Rien n'est décidé.

— Je perdrai le peu qu'il me donne. Je perdrai tout. Mais qui peut en vouloir à Ezra ? poursuivit Axatria comme si elle n'avait pas entendu. Il accomplit ce qu'il croit juste. Il n'a pas d'autre pensée que celle d'être juste. Il étudie pour être juste, il écoute maître Baruch et il n'est rien qu'il dise ou fasse sans esprit de justice. Quand il est jaloux d'Antinoès, il pense aussi que c'est justice. Dans les lois qu'il étudie, le Perse n'épouse pas la fille de la terre de Judée.

— Rien n'est décidé, répéta Lilah plus fermement. Justement, il faut faire confiance à l'Éternel.

— Toi, tu peux ! C'est ton Dieu. Mais moi ? Vais-je aller faire des offrandes à Ahura-Mazdâ, Anâhita ou Mithra alors que j'aime toutes les paroles qui sortent de la bouche d'Ezra quand il parle du Dieu du ciel ? Mais je ne suis pas juive. Je suis sans dieu et sans pays. Une servante du Zagros qui aime son maître, voilà ce que je suis. Même s'il ne pose qu'un œil distrait sur elle, comme dit ta tante en riant...

— Axatria !

Lilah la fit taire en saisissant son visage entre ses paumes.

— Axatria, rien n'est dit ni fait. Sois patiente, toi aussi.

*
**

Le soleil était déjà haut lorsque des coups violents furent frappés à la porte de la maison de Mardochée. Deux serviteurs accoururent en maugréant, prêts à rabrouer le client impatient.

À peine eurent-ils le temps de relever la poutre qui en clôturait les battants que la porte fut brutalement poussée de l'extérieur. Une douzaine de soldats se précipita dans la cour.

Javelots au poing, ils portaient des casques de feutre à plumets rouges, des cuirasses de poitrine en cuir et un baudrier de ceinture orné de glands noirs et contenant une dague droite. Dans l'atelier, Sarah poussa un cri de terreur.

Les tisserandes quittèrent précipitamment leur ouvrage pour se presser derrière leur maîtresse. Les soldats formèrent une double ligne. Un char franchit bruyamment la porte et s'immobilisa entre eux au milieu de la cour.

Tiré de son propre atelier par le vacarme, l'oncle Mardochée accourut depuis le côté opposé. Les yeux écarquillés, il admira malgré lui l'élégance de l'attelage, la coque haute du char, sa lisse dorée et serpentine et l'intérieur doublé d'un tissage d'entrelacs géométrique bleu et jaune. Les rayons des roues étaient sculptés en forme de feuillage et les moyeux doublés d'argent. Un ouvrage très coûteux, qui ne venait pas de son atelier. Le client avait d'étranges manières, mais certainement tout le pouvoir de se les autoriser. Mardochée s'avança pour saluer et se figea avant même de s'incliner.

La sculpture d'or qui décorait le devant de la coque était reconnaissable entre toutes : une tête d'homme ailé reposant sur une roue solaire et cernée de droite et gauche par des lions ailés.

L'emblème du Roi des rois !

Dieu du ciel !

L'homme qui se tenait derrière le conducteur du char vit sa stupeur. Il eut un petit geste de la main. Deux soldats s'écartèrent pour laisser passer Mardochée.

— Approche.

La voix était sèche, râpeuse, le corps rond. Une perruque tressée et huilée tombait sur ses épaules. L'homme avait les joues lisses des eunuques. Il n'était ni grand ni gros, avec un visage étonnement flétri, une bouche petite et, comme ses yeux, cernée de profondes rides. Sa tunique, de splendides tissus ocre, était elle-même tout en plis et replis.

Mardochée hésita. Sarah avançait vers lui, le visage pâle comme un linge. Les ouvrières avaient reculé dans l'atelier en s'accrochant les unes aux autres.

L'eunuque eut un grognement d'impatience et agita une nouvelle fois la main. Mardochée mit tout ce qu'il put de dignité dans les pas qui le rapprochèrent du char. Quand il s'immobilisa à nouveau, les yeux de l'eunuque pesaient sur lui, le toisant des pieds à la tête, comme s'il considérait un animal d'une race encore incertaine.

— Tu es Mardochée le Juif, fils d'Azaryah, fils d'Hilqiyyah, Mardochée le fabricant de chars ?

En vérité, c'était moins une question qu'une affirmation.

D'ordinaire, la haute taille de Mardochée, son visage étroit et anguleux, son regard vif sous des sourcils de charbon en imposaient. Il n'était guère de situation où il se sentait dans l'embarras. En cet instant, cependant, le désagréable frémissement de la crainte troubla sa voix lorsqu'il répondit :

— Oui, je suis Mardochée, fils d'Azaryah.

Devait-il s'incliner ? Donner du « Puissant seigneur » ?

Les soldats qui entouraient le char ne bougeaient pas d'un cil, le conducteur avait l'immobilité d'une statue. Du coin de l'œil, Mardochée découvrit que d'autres soldats étaient postés à l'entrée de la maison, ainsi qu'un char à bancs attelé de deux mules. L'eunuque esquissa un sourire qui sembla transformer son visage en flaque d'eau brouillée par le vent.

— Mon nom est Cohapanikès. Je suis le troisième échanson de chambre de la Grande Reine, mère du Roi des rois, premier maître du monde. Je viens chercher ta nièce Lilah, fille de Serayah.

Dans le dos de Mardochée, Sarah poussa un cri. Des exclamations jaillirent de l'atelier. Mardochée ouvrit la bouche, incapable de respirer.

L'eunuque parut satisfait de l'effet qu'il venait de produire. Son bras aussi lisse et pâle que son visage se leva, brandissant un bâton d'ébène d'Égypte aux embouts d'ivoire et de corail.

— La reine veut ! Obéissez.

Mardochée ne parvenait pas à comprendre les mots qu'il entendait. Il répéta, éberlué :

— La reine veut Lilah ?

— Es-tu sourd ? Ma reine Parysatis ordonne. Ta nièce Lilah doit me suivre où je la conduirai.

L'homme eut encore un petit rire :

— Ne fais pas cette tête. La reine te fait un grand honneur, marchand de chars. Allez, allez ! Dépêchez-vous. On vous attend, et la chambre de la reine n'attend pas longtemps.

*
**

Assise dans le char à bancs, Lilah eut besoin de tout le trajet à travers la ville pour reprendre ses esprits.

Axatria et la tante Sarah étaient accourues en roulant des yeux la prévenir de l'incroyable événement.

— Mais pourquoi ? avait demandé Lilah. Que me veut-elle ?

Un éclair de fierté avait brillé dans les yeux de Sarah, effaçant la frayeur qui s'y lisait un instant plus tôt.

— Sans doute a-t-elle entendu parler de ta beauté, avait-elle suggéré. Peut-être te veut-elle à son service ?

La suggestion avait paru si saugrenue à Lilah qu'elle en était restée médusée.

L'affolement avait saisi toute la maisonnée. Axatria s'était évertuée à refaire la toilette de Lilah. Sarah l'avait repoussée : rien ne convenait, rien n'était assez beau, et l'on n'avait pas même le temps de lui refaire le chignon !

Lilah avait fini par déclarer :

— C'est à cause d'Antinoès.

Axatria et Sarah s'étaient regardées. Il n'y avait plus ni fierté ni excitation sur leur visage. Axatria avait haussé les épaules avec une petite grimace. Désignant la grande cour où résonnaient encore les éclats de voix de l'eunuque de la reine, elle avait grommelé :

— Peut-être, mais ce n'est pas lui qui te le dira.

De fait, le troisième échanson avait fort impoliment refusé le vin offert par l'oncle Mardochée pour le faire patienter, puis avait tempêté et menacé jusqu'à ce que Lilah s'approche enfin.

Là, il s'était tu. Les paupières plissées, il l'avait toisée avec cette morgue qu'il avait imposée à Mardochée auparavant. Finalement, un sourire de satisfaction avait fripé sa face molle. Un sourire qui n'avait réconforté personne.

Lorsque Lilah s'était assise sur le banc du char, le visage de l'oncle Mardochée était livide, ses yeux la suppliaient d'être prudente. Sarah avait levé une main tremblante. Les larmes atteignaient déjà son menton. Axatria, ainsi que les servantes et les ouvrières qui s'étaient amassées sur le côté de la porte, l'avaient contemplée comme si elles ne devaient jamais la revoir.

Le troisième échanson avait donné l'ordre du départ. Le char s'était ébranlé, Lilah avait fermé les yeux, cherchant à se rassurer et à ne pas songer à ce qui pouvait l'attendre.

*
**

Leur cortège attirait l'attention des passants. Deux soldats couraient devant le char de l'échanson. Le char à bancs suivait, entouré par les autres soldats.

Ils avaient rejoint la voie royale, si large qu'une vingtaine d'attelages pouvaient s'y côtoyer. Elle traversait Suse-la-Ville depuis les remparts du sud, franchissait la muraille de la ville royale par une porte surmontée de deux tours énormes, et conduisait jusqu'au pied de la Citadelle. Rectiligne, bordée d'arbres et de rosiers, elle était pavée en son centre de marbre rose et blanc. Un pavement aussi parfait qu'un tissage. Seuls les chars royaux et les soldats, lors des processions, des fêtes et des déplacements du Roi des rois, étaient autorisés à le fouler.

Le son rauque d'une trompe retentit quand ils s'approchèrent des tours en briques vernissées de bleu et décorées par des centaines de lions ailés. Sans ralentir, le cortège s'enfonça dans la muraille. Lilah entrevit au passage les rangées de gardes stationnées devant les immenses battants de la porte aux sculptures de bronze.

La lumière grisée par les nuages revint lorsqu'ils débouchèrent de l'autre côté. Les soldats qui couraient aux côtés des chars s'arrêtèrent, remplacés par quatre cavaliers en tuniques longues qui se placèrent auprès de l'attelage du troisième échanson.

La voie royale se poursuivait, tout aussi rectiligne. Elle était à présent bordée sur les côtés de parois colorées d'ocre, de jaune et de bleu, surmontées de tours carrées et crénelées. Il n'y avait ici aucun passant, aucun signe de la vie ordinaire. Lilah se retrouva vite privée de repères. Les murs étaient si hauts qu'ils masquaient même les falaises de la Citadelle.

Le cortège vira brutalement sur la droite. Quittant la grande voie, il s'enfonça dans une rue plus étroite, aux parois moins élevées. Lilah tressaillit. Les escaliers et les murs gigantesques de la Citadelle se dressaient devant eux, à peine à un demi-stade de distance, plus proches qu'elle ne les avait jamais vus.

Elle serra son châle sur sa poitrine, la gorge nouée. Sa stupeur et sa curiosité se muaient en peur. Il y eut encore des portes, des arches et des cours. Enfin, ils pénétrèrent dans un immense jardin. Lilah distingua les festons des frises de céramiques et la horde de personnages qui ornait les escaliers conduisant à la Citadelle.

À sa surprise, leur escorte se dirigea sur la gauche, s'éloignant des murs. Ils pénétrèrent dans un boqueteau de pins, de palmiers et de cèdres. La rive orientale de la Chaour apparut entre les troncs. Les roues des chars et les sabots des chevaux résonnèrent à nouveau sur un pavement. Devant eux se dressait un palais immense, bâti sur une terrasse à l'aplomb du fleuve. Le mur d'enceinte, en briques teintes de blanc et s'étendant jusqu'à la rive orientale du fleuve, était borgne. Une seule porte, écarlate, y donnait accès. Elle s'ouvrit à l'approche du cortège, ne leur laissant que le temps de franchir le seuil du palais avant de se refermer dans un bruit sourd.

Cavaliers et chars s'immobilisèrent dans une cour tout en longueur, bordée d'étables et de citernes. Au-delà d'un porche clos d'une grille, Lilah devina une enfilade de cours plus petites, d'arches, de colonnades et de patios. Des serviteurs s'approchèrent, tous vêtus de tuniques striées vert et pourpre. Leurs joues lisses et leurs chevelures courtes étaient celles des eunuques.

Le troisième échanson descendit de son char. Sans regarder Lilah, il ordonna :

— Conduisez-la à la salle de propreté. Qu'elle soit prête après le repas de la reine.

Lilah ne pouvait s'empêcher de songer aux rumeurs colportées sur la reine Parysatis. En vérité, une fois entendues, nul ne parvenait à les oublier. Elles étaient de celles que l'on se murmurait en craignant les mots mêmes que l'on prononçait.

Entourée d'une nuée de serviteurs, femmes ou eunuques, la reine soufflait sur eux la vie ou la mort, selon son humeur. Certains devaient s'appliquer avant elle ses pommades ou ses parfums, d'autres goûter ses plats et ses boissons. La reine redoutait d'être empoisonnée, elle-même usant des plantes mortelles avec autant de savoir que de ruse. Il arrivait aussi qu'elle fasse trancher la langue d'un eunuque ayant accepté un plat imparfait ou les mains d'une servante n'ayant pas repoussé une pommade trop grumeleuse.

Parysatis, assurait-on, n'avait que deux amours : ses fils et sa puissance de reine, de mère du Roi des rois. On chuchotait que ses plaisirs étaient aussi raffinés que cruels, ses caprices infinis, ses désirs étranges et à jamais inassouvis. Les puissants de l'Apadana suaient d'angoisse lorsqu'ils devaient partager son repas. Deux épouses de son fils aîné, Artaxerxès le Nouveau, étaient mortes pour s'être opposées à sa volonté. Et Lilah avait entendu Antinoès lui-même s'étonner que les plus puissants des généraux manifestent davantage de crainte devant la haine de la reine mère que devant les hordes des Grecs.

Et voilà que Parysatis l'envoyait chercher dans la maison de Mardochée ! Elle, une Juive, une habitante de Suse-la-Ville. Autant dire un insecte aux yeux de la reine.

Mais un insecte qu'Antinoès, fils d'Artobasanez, le défunt satrape de Margiane, désirait épouser...

Que voulait Parysatis ? Seulement satisfaire sa curiosité ?

La voix d'un eunuque tira Lilah de ses réflexions. Il lui présentait un panier rempli de fins bracelets et de colliers.

— Prends ces bijoux et mets-les. On va te conduire bientôt chez notre reine.

Plutôt que d'obéir, Lilah jeta un regard vers la large fenêtre. Un ciel bas, aux nuages boursouflés, se fondait à l'horizon des plaines et des collines à l'ouest de la Chaour. Il était difficile de savoir si le jour était déjà bien avancé. Lilah éprouvait le sentiment d'être dans le palais depuis longtemps, mais ce pouvait être l'effet de l'attente et de la longue toilette à laquelle on l'avait contrainte.

Comme il avait été inutile que tante Sarah et Axatria s'inquiètent de sa tenue et de sa coiffure avant son départ de la maison ! Sans beaucoup de mots, sans pudeur mais sans familiarité, servantes et jeunes eunuques l'avaient conduite dans une petite salle où on lui avait ôté ses vêtements sans qu'elle pût protester.

Les servantes l'avaient poussée, nue, dans un étroit bassin où les eunuques déversaient le contenu tiède et parfumé de deux grandes jarres. À sa honte, on l'avait lavée comme si elle puait autant qu'une pauvre fille de la ville basse. Après l'avoir séchée dans une pièce atte-nante, où des feuilles de laurier et d'eucalyptus brû-laient dans des braseros, on l'avait parfumée avec une crème dorée, huileuse et épaisse. Après quoi, il avait fallu attendre que sa peau absorbe ce liniment.

Choquée d'être ainsi dévoilée, palpée et enduite sans retenue, Lilah s'était néanmoins vite aperçue que les servantes comme les eunuques accomplissaient leur tâche avec une froideur dénuée d'ambiguïté.

Elle ne parvenait pas même à croiser leurs regards. Leurs expressions demeuraient distantes, indifférentes. Ils accomplissaient leur ouvrage sans plus de paroles que celles qui leur étaient indispensables. Ils sem-blaient ne songer à rien et ne rien voir. Entre leurs mains, Lilah n'était pas une personne, seulement un devoir à accomplir.

D'abord mal à l'aise et craintive, Lilah laissa exploser sa colère lorsqu'on lui apporta une tunique de lin blanc, si fine qu'elle en était transparente. Taillée de manière inhabituelle, la tunique dévoilait son sein droit, dénudait son dos jusqu'au creux des reins et s'interrompait à mi-cuisse. Les joues écarlates de honte, elle réclama la robe dans laquelle elle était arrivée. Sa fureur tira à peine un sourire aux servantes.

— Nulle femme ne paraît devant la reine dans ses vêtements si elle n'est pas l'épouse d'un puissant de l'Apadana. C'est la loi. Notre reine Parysatis a ordonné que tu portes cette tunique, et tu dois obéir. Sois sans crainte, tu retrouveras tes vêtements et tes bijoux quand il sera décidé que tu peux retourner chez toi.

Ensuite, on lui avait donné un châle pour recouvrir ce que sa tunique dévoilait. Puis on l'avait fait attendre encore assez longtemps pour qu'elle eût tout le loisir de songer à ce moment où elle serait offerte au regard de Parysatis dans cette tenue honteuse.

Maintenant, l'eunuque la pressait de passer à ses poignets les bracelets d'argent et d'ivoire en lui prodiguant d'ultimes conseils :

— Ne lève pas les yeux sur la reine avant de te prosterner. Et ne parle que pour répondre aux questions que l'on te pose.

*
**

Les servantes entrèrent dans une petite cour carrée, pareille à un puits. Des eunuques, en tenue de garde, étaient postés devant les corridors auxquels elle donnait accès. Quatre d'entre eux vinrent se placer autour de Lilah. Ensemble, ils s'engouffrèrent à nouveau dans l'immensité labyrinthique du palais.

Lilah eut la bizarre impression que le sombre couloir qu'ils empruntaient tournait en rond. Soudain, la lumière blanche du jour l'aveugla. En quelques pas, ils furent sur le seuil de la plus étrange des salles. De minces colonnes de cèdre recouvertes de cuivre en soutenaient le haut plafond. Des cordes de couleurs vives étaient suspendues à leurs chapiteaux. Y étaient accrochés d'immenses voiles transparents qui traversaient la salle de part en part sur une douzaine de rangées parallèles.

Bien que chacun, d'une grande finesse, fût à peine teinté de pourpre et de bleu, leur accumulation interdisait de distinguer le fond de la pièce. Le souffle irrégulier de la brise les agitait mollement, la lumière du jour les irisait, jouait dans leur trame ainsi que sur la fourrure palpitante d'un animal.

Lilah perçut des bruits de voix, quelques notes ténues tirées d'une harpe. Un claquement résonna. Les eunuques s'écartèrent devant elle. L'un d'eux s'empara du châle dans lequel elle s'était drapée. Sans un mot, il lui ordonna d'avancer vers les voiles.

Les bras serrés sur sa poitrine demi-nue, Lilah s'arrêta devant le délicat tissu, ne sachant que faire. De la pointe de sa lance, le garde souleva le voile et lui fit signe de poursuivre.

Elle dut franchir les suivants elle-même, s'enfonçant au cœur de la houle de voiles qui la frôlait, l'aveuglait de ses plis et la perdait si bien que, vite, elle ne sut plus dans quelle direction elle progressait.

Le claquement se répéta et la surprit une fois de plus. Elle s'immobilisa, comme prise en faute, à l'instant où une voix retentit, impérieuse :

— Quel est le nom de celle qui approche ?

Lilah, éberluée, souffla son nom. C'était à peine un chuchotement et la voix tonna à nouveau.

— Lilah, répéta-t-elle aussi fort qu'elle le pouvait. Lilah, fille de Serayah.

— Approche de deux voiles.

Elle obéit, levant les yeux pour trouver un repère parmi les poutres de la toiture. L'opacité des tissus qui la séparait du reste de la salle diminua. Elle devina la masse des colonnades ouvrant sur un jardin.

— Que viens-tu faire ici, fille Lilah ? demanda la voix.

Elle ne put répondre. La peur, gluante et sournoise, serpentait dans ses reins. Ses mains tremblaient. Elle s'obligea à fermer les yeux pour se ressaisir et ne pas se laisser emporter par l'émotion. L'étrangeté de cette situation n'était conçue que pour l'impressionner. Pour faire de son imagination son ennemi. Montrer sa faiblesse. Les voiles n'étaient que des voiles ! Non des monstres ou des fauves ! Lilah se redressa et déclara :

— Je viens devant notre reine.

— Approche.

Le cœur battant, Lilah souleva le tissu devant elle. Il n'en restait plus que deux. Elle distingua une plate-forme disposée entre des colonnes. Quelques silhouettes s'y découpaient avec, en son centre, une longue couche surmontée d'un dais.

Les notes de la harpe étaient à présent nettes et claires. Lilah entrevit la musicienne devant l'une des colonnes. Des gardes cuirassés étaient postés à l'extérieur de la pièce. La lumière grise du jour se reflétait sur les plaques métalliques qui couvraient leurs torses.

Une voix de femme, différente de celle que Lilah venait d'entendre, ordonna :

— Approche, fille, approche.

Lilah comprit que la reine venait de parler.

Le souffle court, elle souleva les derniers voiles. Tentant de masquer encore sa poitrine de son bras libre, elle fit quelques pas sur un sol de marbre. L'air frais venu du jardin la fit frissonner. Elle se souvint de l'injonction de l'eunuque et ploya brièvement le buste et un genou. Elle tendit la main droite devant elle, paume levée, et l'approcha de ses lèvres en se redressant.

Un rire grave monta de la couche.

— Bien, bien ! Approche.

Parysatis, le buste soutenu par des coussins, était à demi allongée sur la couche recouverte d'un tapis de soie vert et pourpre. Elle était d'une petitesse étonnante. Son corps semblait disparaître sous une sorte de cape brodée de fils d'or et de pierreries. Un bandeau d'argent retenait ses cheveux et des bandes de soies colorées y étaient agrafées. Son visage paraissait être celui d'une enfant précocement vieillie. Sa peau, claire et fine telle une céramique longuement polie, était sillonnée de rides profondes sur le front, les joues, le cou. Sa bouche souriait, mais ses yeux grands et fixes, d'un bleu de ciel pailleté, demeuraient sans expression.

Dans un cliquetis de bracelets sa main apparut, d'une blancheur de lait. Ses doigts bagués s'agitèrent avec impatience.

— Avance ! Avance jusqu'ici, que je te voie dans la lumière.

Lilah obtempéra. Deux servantes à peine nubiles se tenaient à genoux sur la couche et la dévisageaient, placides. Sur le côté, assis sur un large tabouret, le troisième échanson souriait. De ce même sourire, ironique et satisfait, qu'il avait eu en découvrant Lilah dans la maison de l'oncle Mardochée. Derrière lui d'autres servantes et quelques eunuques, tous très jeunes, patientaient à genoux sur l'estrade. L'un des adolescents tenait sur ses genoux les plaques de cèdre dont les claquements avaient rythmé la progression de Lilah sous les voiles.

— Eh bien, montre-toi ! s'exclama Parysatis.

Lilah hésita. Elle ne pouvait être plus près de la couche de la reine. Que voulait-elle de plus ?

— Faites-la tourner, ordonna le troisième échanson.

Les deux jeunes servantes glissèrent au bas de la couche pour saisir chacune un poignet de Lilah. Lui écartant les bras, elles la firent tournoyer sur elle-même comme une toupie.

*
**

Maintenant, Lilah comprenait pourquoi on l'avait contrainte à porter cette tunique qui la dénudait à demi. Les servantes continuaient de la faire tourner. Elle ferma les yeux. La honte et la colère lui brouillaient le cœur autant que le tournoiement qu'on lui imposait. Elle n'avait pas besoin de voir les regards de la reine et de l'échanson. Il lui semblait que chaque parcelle de sa chair nue s'écorchait à leur curiosité.

— Eh bien, Cohapanikès, qu'en penses-tu ?

— Elle est belle, ma reine. Une belle fille, cela se voit au premier coup d'œil.

Parysatis opina. Ils la regardèrent tournoyer de plus en plus vite, la courte tunique se soulevant sur ses cuisses. Puis, d'un claquement des doigts, la reine ordonna aux servantes de lâcher les bras de Lilah.

Celle-ci dut faire un effort pour garder son équilibre. Relevant les paupières, puisant loin dans son courage, elle regarda la reine.

Le fin réseau de rides qui entourait les yeux de Parysatis se plissa. Les iris bleus se resserrèrent, froids et calmes, aussi impassibles que les pupilles d'un serpent à l'affût.

— Belle, mais pleine d'orgueil, cela aussi ça se voit, remarqua-t-elle sans élever la voix.

— Il faut convenir qu'Antinoès n'a pas mauvais goût, s'amusa encore l'eunuque. On raconte aussi que les Juives sont prudes dans l'amour, mais pas dénuées de savoir.

— Tais-toi, échanson ! gronda Parysatis. Garde ta langue pour mon vin !

Cohapanikès cessa de sourire. Les plis de son visage se figèrent. Les notes de la harpe vibrèrent comme des menaces dans le silence tandis que, un instant encore, Parysatis détaillait Lilah.

Brusquement, la reine repoussa la cape qui la couvrait et tendit les mains. Les jeunes servantes se précipitèrent pour la soutenir tandis qu'elle quittait sa couche.

Debout, Parysatis ne dépassait guère les fillettes qui la servaient. Entre les pans de sa cape, la finesse de la tunique laissait apparaître un corps plus jeune et plus ferme que Lilah ne l'avait imaginé. Les marques de l'âge sur son visage n'en paraissaient que plus étranges. Parysatis se rendit compte de sa surprise et lui adressa un regard railleur.

— Tu m'as crue plus vieille que je ne suis, n'est-ce pas, fille Lilah ? C'est cela, la jeunesse. On voit des rides sur un cou et l'on pense que la femme est vieille.

— Ma reine...

Parysatis l'interrompit d'un signe.

— Tais-toi ou tu vas me mentir. Il ne faut jamais me mentir.

Ses traits se détendirent. Elle s'approcha encore, leva sa main baguée, effleura le bras nu de Lilah. Ses doigts étaient doux et tièdes. Ils glissèrent de l'épaule à la nuque. Lilah tressaillit et dut faire un effort pour ne pas reculer. Les doigts de la reine imprimaient de petites pressions, glissant sur sa poitrine et pressant encore comme si elle cherchait les os sous la chair. Ce n'était pas une caresse, plutôt de la curiosité. Lilah songea qu'elle la palpait comme elle aurait examiné un animal.

— Tu as une belle peau, conclut-elle. Quel âge as-tu ?

— Vingt et une années.

— Et tu n'as pas encore eu d'enfant ?

— Non, ma reine.

Parysatis gloussa. Sa bouche s'ouvrit sur un sourire qui révéla de petites dents dont beaucoup était aussi noires que du charbon. Elle se tourna vers le troisième échanson, qui l'avait rejointe, et semblait immense à son côté.

— Tu entends ça, Cohapanikès ? Vingt et une années ! À peine plus jeune que ce palais ! Elle devrait avoir un époux depuis longtemps ! À ton âge, ma fille, toutes les nuits le grand Darius cherchait l'or de son trône entre mes cuisses et j'avais déjà enfanté le Roi des rois qui est ton maître aujourd'hui.

Elle eut un rire aigu qui secoua sa poitrine. Dans un geste qui parut cette fois étonnamment amical, elle se saisit de la main de Lilah.

— Viens, suis-moi.

Elle l'entraîna entre les colonnes. Servantes, eunuques, échanson, musicienne et gardes leur emboîtèrent le pas à quelques coudées de distance.

— Tu n'as plus ni père ni mère, remarqua Parysatis.

— Non, ma reine.

Serrant toujours sa main, Parysatis descendait les marches conduisant au jardin. Lilah eut l'impression qu'elle pouvait deviner mensonge et vérité par le simple contact de leurs paumes nouées.

— Et tu connais Antinoès depuis longtemps, dit la reine.

Ce n'était pas vraiment une question. Simplement, Parysatis marquait tout le pouvoir de sa curiosité ainsi que sa puissance royale. Et, hélas, Lilah n'avait plus de doute : Antinoès était bien la raison de cette étrange rencontre... Elle répondit :

— Je le connais depuis l'enfance, ma reine.

Sans ralentir son trottinement, Parysatis gloussa à nouveau.

— Depuis l'enfance ! Et pas d'enfant ? Tu n'es pas vierge, quand même ?

— Ma reine... hésita Lilah, la honte lui étouffant la voix.

Parysatis agita sèchement leurs mains nouées.

— Ne mens pas, je t'ai dit ! Et ne sois pas bégueule ! Bien sûr que tu n'es pas vierge. Parysatis voit ça au premier regard chez une fille.

Elle se tut et avança sans plus un mot. Lilah s'efforça de masquer sa peur autant que l'humiliant embarras d'être ainsi, presque nue sous les regards.

Abandonnant la main de Lilah aussi brutalement qu'elle l'avait saisie, Parysatis emprunta un chemin bordé de bambous. Le jardin, clos par les murs d'enceinte du palais, était si touffu en son centre qu'il prenait l'apparence d'un sous-bois aux essences mélangées. À leur passage, des nuées de papillons abandonnèrent les grappes d'amarantes et de buddleias pour virevolter au-dessus de leurs têtes.

Adaptant avec attention son pas à celui de la reine, Lilah se demanda quelles folies allaient entraîner les prochaines questions de Parysatis. Allait-elle seulement repartir vivante de ce palais ? Que devait-elle répondre et ne pas répondre ? Que voulait la reine ? Antinoès était-il lui aussi en danger ?

Se dirigeant vers le centre du bosquet, le chemin suivait une pente douce. Une odeur puissante, acide et sauvage, stagnait dans le sous-bois. Elle devint plus forte et plus irritante alors qu'elles progressaient. Une odeur inconnue de Lilah, mais qui ne semblait nullement gêner Parysatis.

Le sous-bois s'éclaircit soudainement tandis qu'il s'ouvrait sur une clairière. Les troncs de bambous ne formaient ici qu'une haie basse bordant une fosse, profonde d'une dizaine de coudées et aux côtés aussi abrupts que s'ils avaient été taillés à la hache. Alentour, Lilah découvrit avec étonnement les buissons épais, les mares, les arbres chétifs aux troncs lacérés qui en tapissaient le fond, sillonné de laies de terre molle mille fois foulées.

Tout près du bord, à peine à deux ou trois brasses du chemin où s'avançait Parysatis, une plate-forme de rondins surplombait cette végétation anarchique. Des oiseaux noirs que l'on voyait d'ordinaire sur les charognes s'y tenaient. À leur approche, ils s'envolèrent en criaillant, les ailes lourdes.

Sans se retourner, Parysatis ordonna :

— Approche-toi, fille Lilah, que je te présente à mes amis.

Comme pour soutenir son injonction un feulement déchira l'air. Un autre lui répondit, et un autre encore. Au fond de la fosse les buissons s'agitèrent. Lilah devina des éclairs de fourrures fauves et poussa un cri. D'un même élan, deux lions aux crinières ondulantes bondirent sur la plate-forme. Ils s'y posèrent, la gueule béante, dévoilant des crocs jaunes et luisants. Leurs pattes énormes piétinèrent les rondins comme pour prendre leur élan. Lilah ne put retenir un nouveau cri, certaine qu'ils allaient bondir jusqu'à elle.

Mais non.

L'un d'eux bascula la tête, le mufle vers le ciel. Le flot de sa crinière se déploya sur son poitrail telle une corolle de feu. Il jeta un nouveau rugissement, terrible et déchirant, tandis que l'autre, fouettant de la queue, grondait en tournant sur lui-même.

Pétrifiée, Lilah claquait des dents. La chair de poule hérissait sa peau nue. Le lion rugit encore, moins fort. Comme si sa violence cédait déjà à l'ennui. La gueule ouverte, menaçante, ses prunelles d'encre noire fixées sur ces nouveaux venus dont l'odeur excitait ses narines, il se coucha. Derrière lui, avec l'humilité d'un mâle moins puissant, l'autre lion s'allongea à son tour.

Un bref silence s'appesantit sur la fosse. Les oiseaux ne volaient plus au-dessus du bosquet. Lilah devina les yeux de Parysatis posés sur elle. Elle devina le sourire humiliant, la gourmandise cruelle.

Ainsi, les rumeurs étaient vérité et le premier des plaisirs de Parysatis était de voir la peur envahir ceux et celles que son pouvoir réduisait à sa merci.

Soutenue par l'orgueil Lilah lutta, repoussa la terreur qui lui glaçait les reins et l'aurait, un instant plus tôt, empêchée de fuir. Elle se redressa, serrant les mains sur ses épaules, serrant les mâchoires. Serrant son cœur sur la haine qui y naissait.

— À ce jour, dit Parysatis, mes lions n'ont jamais sauté jusqu'à ce chemin. Tu peux approcher sans crainte, fille Lilah.

Lilah décroisa les bras et obéit sans hésiter. Derrière elle, les eunuques, les servantes, le troisième échanson comme les gardes eux-mêmes se tenaient à bonne distance et ne montraient aucun désir d'avancer sans que Parysatis ne l'ordonnât.

— Pardonne-moi d'avoir crié, ma reine, fit doucement Lilah. J'ai été surprise, car je n'avais encore jamais vu de lion. Ils sont beaux.

La reine baissa à demi les paupières et ricana :

— Inutile de faire la fière, fille Lilah. Je sais que tu as peur. Tout le monde a peur de Parysatis. N'est-ce pas ce que tu entends dans Suse-la-Ville ? Si. On y raconte des histoires sur moi, je le sais. Et on a raison de me craindre, parce que c'est vrai : je suis cruelle et sans pitié. Mes amis sont devant toi. Je n'en ai pas d'autres. Ils me débarrassent de tous ceux qui m'importunent. C'est cela, être reine, épouse du Roi des rois, mère du Roi des rois. Même mes fils peuvent un jour glisser du poison dans mon pain. Mais ils sont bien les seuls qui, en retour, n'auraient rien à craindre de mes amis.

Elle rit, s'approcha de Lilah. À nouveau, elle lui saisit une main. Un geste doux, affectueux. Terrible, en vérité, et qui entraîna Lilah si près des bambous qui délimitaient le rebord de la fosse qu'elle en perçut le frottement contre ses jambes nues.

— Tu es belle, mais c'est sans importance. Mon palais est plein de belles servantes et là-haut, dans la Citadelle, chez mon fils, il y a des centaines de concubines plus belles les unes que les autres. La beauté m'ennuie, fille Lilah. On croit que je la jalouse, on se trompe : simplement, elle m'ennuie. Toi, tu as un peu de courage et beaucoup d'orgueil. Qui sait, un peu d'intelligence aussi ? Bien des qualités pour une fille. Cet imbécile de Cohapanikès a raison : ton Antinoès a bien choisi. C'est un bon point pour lui. Il est plus courageux et plus difficile pour un homme de se choisir une femme intelligente qu'une femme belle.

Elle se tut un instant, songeuse. En bas, les fourrés s'agitaient. Le pelage magnifique d'une panthère noire apparut dans une sente. L'animal leva avec indifférence ses iris dorés vers elles.

Lilah songea qu'il suffisait à la reine d'un mouvement brusque de la main pour la faire basculer dans la fosse. Elle ne doutait pas que Parysatis en eût la force malgré sa petite taille.

— Tu connais Antinoès depuis l'enfance, mais celui que tu reçois entre tes cuisses lorsqu'il revient de guerre, le connais-tu ?

Lilah tressaillit. Elle avait à peine entendu la question. Dans les buissons au creux de la fosse, d'autres fauves apparaissaient. Quatre lionnes impatientes, nerveuses, vinrent gronder sous la plate-forme.

Parysatis poursuivit sans attendre de réponse :

— Un guerrier est comme un petit lion. Il tue, il déchire, il a soif de sang. Il viole, il oublie. Il n'est pas fait pour un tendron comme toi. Cependant, Antinoès est un bon garçon. Son père m'a été utile, autrefois. Il s'est bien comporté. Je suis cruelle, mais pas infidèle. Ton Antinoès est comme son père, franc et droit. En ce palais, on ne pourrait pas le dire de beaucoup. Il s'est battu pour mon fils Artaxerxès, mais n'a pas porté la main sur Cyrus le Jeune.

Parysatis grimaça un sourire et regarda Lilah.

— Sais-tu que mes amis m'ont débarrassée de tous ceux qui ont levé la main contre Cyrus le Jeune à la bataille de Kounaya ? Quel festin !

Elle rit, tendit leurs mains nouées en direction des deux lions qui semblaient à présent assoupis sur la plate-forme.

— Regarde-les, ils en sont tout repus !

Elle rit encore.

— Tu es juive, fille Lilah. Que feras-tu si le Roi des rois nomme Antinoès satrape de Bactriane ? Le suivras-tu à Meshed, Bactres ou Kaboul ? Ton dieu te suivra-t-il si loin ? Là où tu n'auras plus ni oncle ni frère, ni personne de ton peuple ?

— Je le suivrai, répondit Lilah sans hésiter. Nous nous le sommes promis il y a longtemps. Je tiendrai ma promesse comme il tiendra la sienne.

Parysatis coula un regard vers elle. Elle abandonna la main de Lilah, satisfaite, apaisée comme après un bon divertissement.

— Tu me plais, fille Lilah. Tu es naïve, mais tu me plais. Ce qui ne me plaît pas, c'est que tu deviennes l'épouse d'Antinoès. Je ne sais pas ce que je vais faire de toi.

Le sage de la ville basse

À travers la terre battue de la cuisine, puis remontant le long de ses pieds et de ses mauvaises jambes, Sogdiam perçut une lourde vibration. Et, à tendre l'oreille, une sorte de grondement trop inhabituel dans la ville basse pour ne pas attirer l'attention.

Il sortit dans la cour. Un attelage. Il en était certain. Des frappements de sabots et un roulement de char, voilà ce qui faisait vibrer le sol. Il entendit des exclamations, des cris d'enfants, venant encore d'assez loin.

Il repéra une brume de poussière par-dessus le mur de la maison et des toitures environnantes. Aussi incroyable que cela pût paraître, quelqu'un s'aventurait dans les rues de la ville basse avec un attelage !

La brume de poussière se rapprocha. Un pressentiment l'assaillit : on ne se contentait pas de traverser la ville basse, on venait ici, jusqu'à la maison d'Ezra.

Par la porte ouverte de la salle d'étude, il entrevit maître Baruch. Recroquevillé sur un tabouret, il parlait, agitant un rouleau de papyrus entre ses mains. Sur l'autre tabouret, tournant presque le dos au vieux maître et fixant le mur devant lui comme s'il contemplait le plus fascinant des paysages, Ezra écoutait. De temps à autre, il inclinait doucement le front. Sogdiam les avait vus ainsi tant de fois que rien, pour lui, ne pouvait être plus ordinaire et plus rassurant.

Il traversa la cour de sa démarche bancale mais rapide, ouvrit la porte qui conduisait à la rue. D'autres voisins, attirés comme lui par le bruit des chevaux, étaient déjà là.

Sogdiam songea à Lilah. Serait-ce elle qui arrivait en char ? Ce n'était pas « son jour », pourtant.

Néanmoins, l'occasion pouvait être exceptionnelle...

Non ! Impossible. Jamais Lilah ne viendrait en char, aussi exceptionnelle que pût être sa visite. Elle aurait trop honte d'étaler ce luxe devant les yeux des habitants des masures.

Il plissa le front, inquiet. S'il ne s'agissait pas de Lilah, qui donc était-ce ? Qui, sinon un puissant de Suse-la-Citadelle ? Un puissant, ou bien des gardes, des soldats. Toutes sortes de gens qui n'apportaient jamais rien de bon avec eux lorsqu'ils entraient dans la ville basse.

Soudain, là-bas, au bout de la rue, hommes et femmes s'écartèrent. Certains grimpèrent sur les murs, d'autres sautèrent dans les jardins. Deux chevaux noirs, la robe aussi lustrée qu'une soie, la crinière tressée de glands de laine rouge apparurent. Ils tiraient un char léger, à la coque renforcée de bande de laiton et aux roues ferrées. Sur le côté, la lisse était doublée de gaines de cuir et de carquois pouvant contenir des javelots, des flèches et une épée à longue lame.

Un char comme Sogdiam n'en avait encore jamais vu : un char de guerre !

Trop stupéfait pour s'écarter du milieu de la rue, la bouche béante, Sogdiam admira l'attelage qui venait droit sur lui. Un casque de feutre en pointe, orné de rubans tissés, couvrait les cheveux de l'officier qui en tenait les rênes. Une longue cape de laine bleue mouchetée de jaune se balançait sur ses épaules. Derrière le char pointaient les lances d'une dizaine de soldats formant l'escorte tandis que résonnaient les cris des enfants excités.

Dans un déhanchement souple Sogdiam bondit sur le seuil de la cour pour laisser filer l'attelage. Mais, alors que les chevaux aux naseaux frémissants passaient si près lui qu'il sentit leur souffle sur sa joue, d'une simple secousse du poignet sur les rênes le guerrier immobilisa le char.

Les soldats coururent prendre place le long du mur de la maison, encadrant la porte. Les cris des gosses cessèrent. Le guerrier descendit du char. Contre sa cuisse, une large dague, à la garde d'acier, était glissée dans un simple fourreau. Des têtes de taureau et de lion décoraient les broches d'or retenant sa cape. Un sourire éclatant brillait entre les fines tresses de sa barbe. Le sourire s'adressait à Sogdiam : l'officier ne le quittait pas des yeux.

Malgré son courage et sa fierté, Sogdiam recula dans la cour. Le guerrier le suivit, franchit le seuil et tendit la main. Chacun, dans la rue, voisins et enfants, entendit alors ces paroles incroyables :

— N'ai pas peur, Sogdiam. Je suis ton ami.

Sogdiam rougit, comme pris en faute, et jeta un regard anxieux vers la salle d'étude. Maître Baruch et Ezra ne s'étaient encore aperçus de rien.

Laissant les soldats, le char et la foule de curieux derrière lui, le guerrier referma la porte de la cour. Il ôta son casque. Sa chevelure huilée roula sur ses épaules. Sogdiam sentit le froid et le chaud s'emparer de sa poitrine. Il savait déjà qui était devant lui.

Celui qu'Ezra détestait. Celui que Lilah aimait.

Il vacilla légèrement sur ses jambes difformes. La colère, l'envie, le dépit et le plaisir menaient la sarabande dans son cœur. Le guerrier fronça les sourcils.

Son expression n'avait rien de menaçant, au contraire. Il prononça les mots que Sogdiam attendait :

— Je suis Antinoès et je viens voir Ezra.

*
**

— Ezra étudie, rétorqua Sogdiam d'une voix qui lui parut faible et ridicule. Il étudie avec maître Baruch, on ne peut pas le déranger.

Antinoès l'observa avec surprise, mais sans cesser de sourire. Il tourna le visage vers la salle d'étude, et il vit que Sogdiam ne lui mentait pas.

Antinoès eut un hochement de tête, releva un pan de sa cape sur son épaule, s'apprêta à avancer vers la maison. Sogdiam songea à lui barrer le chemin, mais ses mauvaises jambes refusèrent de bouger. Pourtant, il n'avait pas peur. Antinoès lui aussi s'immobilisa.

Dans la salle d'étude, Ezra n'étudiait plus. Il fixait le guerrier de ses yeux de nuit. À côté de lui maître Baruch se taisait. Antinoès leva la main en guise de salut. Ezra se tourna brusquement sur son tabouret et, pour toute réponse, offrit son dos. Il déroula un rouleau sur la table et s'adressa à maître Baruch. Le vieux maître opina, et l'on entendit à nouveau le murmure assourdi de leurs voix.

— Tu vois, fit Sogdiam avec toute l'assurance dont il était capable, ils n'ont pas fini. Il faut attendre.

Comme s'il ne l'avait pas entendu, Antinoès demeura un instant face à la salle d'étude. Puis, à la surprise de Sogdiam, il éclata de rire.

Un rire sans ironie ni mauvaise humeur.

— Oui, il semble bien. Je vais attendre. Apporte-moi un gobelet d'eau, veux-tu ?

Sogdiam fila vers la cuisine avec soulagement. Quand il en ressortit, Antinoès se tenait droit au centre

112

de la cour comme s'il était de garde sur un mur de citadelle. Le vent aigre du nord se levait et agitait sa cape. Les nuages roulaient, bas et sombres, diffusant une lumière tumultueuse sur l'acier de sa dague aussi bien que dans ses prunelles. Malgré cela, il ne montrait aucune impatience et adressa un geste amical à Sogdiam lorsque celui-ci lui tendit le gobelet.

La pensée de Lilah se blottissant entre les bras de cet homme était pour l'adolescent aussi douloureuse qu'une brûlure. C'était une raison de détester ce Perse. Ezra en était une autre. Pourtant, Sogdiam n'y parvenait pas. Il ne put s'empêcher de rougir de plaisir lorsque Antinoès lui rendit le gobelet en déclarant avec douceur :

— Lilah t'aime beaucoup, jeune Sogdiam. Elle me l'a dit. Elle m'a dit que tu étais un garçon différent des autres et d'un grand courage.

Sogdiam baissa le front, songea à ce qu'il pouvait répondre. Il n'en eut pas le temps : Antinoès s'avançait droit vers la salle d'étude. Parvenu sur le seuil, il s'inclina avec politesse :

— Pardonne-moi, maître Baruch, si j'interromps ton enseignement. Je suis venu parler avec mon frère Ezra, que je n'ai pas vu depuis longtemps.

Il y eut un drôle de silence. Maître Baruch leva le visage vers le Perse. Ses yeux brillaient de curiosité et il ne semblait aucunement offusqué. Ezra, cependant, se dressa, repoussant bruyamment son tabouret. Il s'approcha si près d'Antinoès que Sogdiam crut qu'ils allaient s'embrasser ou s'empoigner. Ses traits étaient de glace et sa voix fit baisser le front au jeune garçon.

— Tu me déranges dans mon étude, étranger. Tu interromps ma tâche avec la plus grande impolitesse.

— Ezra !

— Tu arrives ici vêtu et équipé comme pour la guerre, couvrant de ton or ceux de cette ville qui vont vêtus de haillons, et tu prétends que je suis ton frère, ce qui est un mensonge. Tu peux t'en repartir comme tu es venu. Nous n'avons rien à nous dire.

Antinoès referma sa main sur sa cape. Sogdiam devina le frisson de fureur qui le parcourait. Pourtant, lorsqu'il parla, sa voix demeura basse et calme.

— Tu sais aussi bien que moi en quel appareil doit se déplacer un officier d'Artaxerxès le Nouveau, Ezra. Il va en char et escorté. Qu'il entre dans la Citadelle ou dans la ville basse, il n'y a pour lui qu'une loi et qu'un royaume. Et tu te trompes. J'ai à te dire quelque chose que tu dois entendre. Je suis revenu à Suse pour que Lilah devienne mon épouse. Sans doute le sais-tu déjà. Mais moi, je viens demander à celui qui était mon frère de ne pas accabler Lilah si elle fait ce choix.

Il y eut un silence si lourd que Sogdiam le sentit peser sur ses épaules. Il eut honte d'être encore dans la cour et de pouvoir entendre les mots qui y résonnaient. Mais il était trop tard, maintenant, pour disparaître dans la cuisine.

Le visage plus clos qu'un mur borgne, Ezra hésita. Sogdiam craignit qu'il ne repousse Antinoès vers la rue. Sa voix siffla comme le vent du nord.

— Ma sœur peut choisir librement son époux.

Antinoès leva un sourcil et demanda :

— Tu ne t'opposeras pas à sa volonté ?

Ezra sourit. D'un sourire qui n'adoucissait pas son expression. Il se tourna vers maître Baruch, comme pour le prendre à témoin. Mais le vieillard se tenait penché sur un papyrus, montrant qu'il ne voulait en rien prendre part à la dispute.

— Ma sœur est libre de sa volonté, reprit Ezra. Cependant, il existe des lois pour nous, enfants d'Israël et du peuple de l'Alliance. Des lois qui ne sont pas les tiennes, fils de Perse, et des dieux qui n'en sont pas.

— Que veux-tu dire, Ezra ?

— La Loi de Moïse commande : « *Ne donne pas ta descendance à Molek, ne profane pas le nom de ton Dieu.* » Elle commande : « *La femme est impure qui va avec un homme impur.* » Et cette femme impure, un frère ne peut plus l'approcher. Il ne peut plus être son frère. Lilah choisira.

— Ah, je comprends ! ricana Antinoès, que la colère gagnait. Que Lilah devienne mon épouse et tu ne la reverras plus ?

— Moi, je ne décide de rien. J'obéis à la Loi et à la Parole que Yhwh a enseignées à Moïse. La Loi dit que les femmes d'Israël trouveront un époux parmi le peuple d'Israël. Et toi, tu n'appartiens pas à ce peuple. Voilà.

— Ta mémoire est courte, Ezra. Il fut un temps où ton bras était autour de mon cou, où tu me faisais jurer que nous ne serions jamais séparés. Un temps où tu disais : « Lilah est le cœur et le sang qui nous unissent. »

La bouche d'Ezra s'entrouvrit. Son front et ses joues étaient devenus écarlates. Sogdiam vit ses mains se nouer en poings aux phalanges blanchies. Il crut qu'il allait frapper. Puis tout se dénoua d'un coup. La poitrine d'Ezra se gonfla et un petit ricanement dur fusa entre ses lèvres.

— Oui, il fut une époque où je n'étais pas encore Ezra. Mais c'est fini. Et tu te trompes. Ma mémoire est longue, beaucoup plus longue que tu ne peux l'imaginer. Elle remonte aux premiers jours du peuple d'Israël. Au jour où Yhwh a appelé Abraham dans la montagne d'Harân.

— Ezra, tu parles de ton Dieu et moi je n'entends que ta jalousie ! protesta Antinoès avec fougue. Tu sais que je respecte ton Dieu depuis toujours, tu sais que Lilah, près de moi, restera près de toi !

— À présent, tu dois quitter cette cour.

— Ezra ! gronda encore Antinoès, levant cette fois la main comme s'il pouvait ainsi mieux se faire entendre. Ezra, ne contrains pas Lilah à choisir entre nous. Tu causeras son malheur !

Ezra ne répondit pas. Il se retourna, entra dans la salle d'étude et en referma la porte. Ce que Sogdiam, jusqu'à ce jour, ne lui avait jamais vu faire.

Antinoès demeura un instant devant la porte close. Enfin, il se retourna. Ses yeux semblaient ne rien voir. Dans la rue, les chevaux renâclaient, impatients. On entendait les soldats gronder et les gosses leur répliquer en riant.

Antinoès se retourna d'un bloc et s'éloigna. Sous sa barbe et le hâle de sa peau, son visage était livide. Sogdiam le vit qui avançait comme un aveugle. Pourtant, parvenu à son côté, il leva la main. Sogdiam tressaillit lorsque la paume chaude se posa sur sa nuque.

Antinoès esquissa une caresse. Puis sans un mot, d'un pas vif, il quitta la cour, monta sur son char et mit l'attelage au trot, obligeant les soldats et les gamins à courir.

*
**

L'atelier embaumait la fine poussière de cèdre et de platane, les copeaux de genévrier et de chêne. L'odeur de poix et de graisse de porc cuite se mêlait à celle de la colle d'amande et du cuir fraîchement tanné.

Pour l'odorat de Mardochée, cela était comme une musique. Un chant profond et lancinant sur lequel venait se poser le bruit des scies, des varlopes, des vrilles, des ciseaux et des maillets. Cet atelier, vaste comme une

116

maison, aéré, encombré de timons, d'étraves et de bancs, de tours à cordes, de roues à peine montées, n'était pas pour lui un bel espace de travail. C'était un monde dans lequel il était roi. Un monde aux possibilités infinies où se construisaient toutes les sortes de chars dont on pouvait avoir l'usage en Susiane. Chars à double ou triples bancs, attelage de mules, de chevaux ou parfois d'ânes et de bœufs, bien que cela ne se fasse plus guère, chars de combats ou de voyages, de parades royales ou de transport.

Aujourd'hui, cependant, peut-être pour l'unique fois de sa vie, Mardochée n'en goûtait pas le plaisir.

Il allait et venait sans voir les ouvriers, sans voir les ouvrages en cours et, pour dire le vrai, s'en désintéressant. Il se tenait sur le côté de la rue, droit et l'oreille aux aguets, cherchant à percevoir le bruit d'un char. Pas l'un de ses propres chars ni celui d'un client. Le char du troisième échanson de la reine. Celui qui, le matin même, avait emporté Lilah chez Parysatis.

Un mauvais poids sur l'estomac, il attendait son retour depuis des heures. On approchait du crépuscule, et cela tardait encore. Le vent du nord, aigre comme l'haleine d'un vieillard, estompait la lumière. La pluie n'était pas loin. Et Lilah toujours pas revenue.

Mardochée savait que de l'autre côté de la cour, s'agitant parmi ses tisserandes, Sarah s'inquiétait tout pareillement. Cent fois elle était venue lui agacer les nerfs. Avait-il des nouvelles ? Et comment aurait-il pu en avoir ? La cent unième fois, Mardochée avait ordonné que l'on ferme à la barre la porte donnant sur la cour.

Ce qui n'avait, en vérité, rien apaisé.

Il guettait toujours chaque roulement de char. La rue était passante et les attelages allaient et venaient en quantité. Cependant, Mardochée avait l'oreille fine. Il

117

reconnaîtrait celui du troisième échanson parmi tous. Pas un char n'émettait le même grondement, car jamais les roues n'avaient la même taille et leurs coques le même poids.

Pourtant, il crut s'être trompé. Il devina un remue-ménage dans la rue, des cris de soldats ordonnant que la foule se range, l'agitation de pointes de lance au-dessus de la tête des passants. Mais le bruit du char ne correspondait pas. Trop léger. Il vit deux magnifiques demi-sang noirs, un officier au casque de feutre debout sur le char. Un char de guerre... Malgré lui, il chercha derrière l'escorte le petit char à bancs attelé aux mules qui avaient emporté Lilah. Il ne vit rien.

Cependant, l'officier perse conduisit son attelage droit sur l'atelier. Mardochée poussa un cri, le cœur tout réchauffé.

— Dieu du ciel ! Antinoès !

Malgré son inquiétude, Mardochée réserva une réception pleine de tendresse à Antinoès. L'artisan juif admira avec fierté le guerrier perse qu'était devenu le gamin curieux et vif qui, quelques années plus tôt, courait entre ses jambes dans l'atelier et l'appelait « oncle Mardochée » tout aussi bien qu'Ezra. Antinoès, ému, ouvrit les bras en grand. L'un et l'autre vainquirent leur embarras d'une embrassade qui les emplit de nostalgie.

Mardochée rit.

— C'est que je n'ai pas l'habitude d'embrasser un officier d'Artaxerxès le Nouveau en grande tenue !

— Sous la tenue, il n'y a toujours que moi ! protesta Antinoès en ôtant son casque et sa cape. Je n'ai pas changé tant que ça et j'ai toujours envie de t'appeler « oncle Mardochée ».

Mardochée en eut les larmes perlant aux paupières. Antinoès huma avec délice les odeurs de l'atelier. Ici non plus, rien n'avait changé.

— Pendant cette campagne, dit-il en passant la main sur le poli d'un timon, j'ai vu beaucoup de beaux endroits. On ne peut imaginer comme le monde est vaste et admirable. Mais cet atelier m'a toujours manqué.

Les yeux brillants d'émotion, Mardochée ne résista pas au plaisir de lui montrer quelques trouvailles nouvelles dont bénéficiaient ses derniers ouvrages.

Pendant ce temps, de grosses gouttes commencèrent à s'écraser dans la poussière de la rue. Bientôt, il plut à verse sur la ville. Quelques éclairs zébrèrent le ciel. Mardochée houspilla ses ouvriers pour que l'on mette les bois fragiles à l'abri. Antinoès fit garer son char dans l'atelier. Les soldats de l'escorte se réfugièrent dans une auberge voisine, où l'on servait des bols de lait fermenté et des pains fourrés aux herbes et aux abats d'agneau.

En un clin d'œil, la rue fut déserte, la foule disparue comme par enchantement. Mardochée, le front plissé, y jeta un regard durci par l'inquiétude.

— Pourvu que cette pluie ne dure pas...

Antinoès l'observa avec étonnement. Mardochée grimaça un sourire et l'entraîna à travers l'atelier.

— Je manque à tous mes devoirs. Viens te désaltérer dans la maison.

— Je devrais d'abord aller saluer tante Sarah... Et Lilah, si tu le veux bien.

— Plus tard, fit Mardochée. Pour l'heure, nous avons à parler.

Ils s'installèrent sur les longs coussins de la salle des repas. Alors que les servantes s'affairaient autour d'eux, Mardochée déclara sombrement :

— Lilah n'est pas à la maison.

Antinoès reposa son gobelet de bière de palme et chercha son regard. Mardochée soupira comme si une pierre pesait sur sa poitrine.

— Un échanson de la reine est venu la chercher.

— Parysatis ? Lilah est chez Parysatis ?

— Depuis ce matin.

— Qu'Ahura-Mazdâ la protège !

— Et notre Dieu Yhwh ! Oui, mon garçon.

Ils se turent un instant. La pluie tombait toujours aussi dru sur les dalles de la cour, emplissant l'air d'une odeur de poussière mouillée.

— J'espérais qu'elle serait de retour avant la nuit, reprit Mardochée à voix basse. Mais, avec cette pluie, l'échanson ne voudra pas se mouiller pour la raccompagner. La savoir si longtemps entre les mains de Parysatis me ronge les sangs. Si ce que l'on raconte sur la reine mère est vrai ?

— J'aurais dû m'en douter, déclara Antinoès sans répondre à la question angoissée de Mardochée. Dans peu de jours, je recevrai les armes des héros d'Artaxerxès le Nouveau. On me confiera un nouveau commandement. Cela a attiré l'attention de Parysatis sur moi d'autant plus sûrement que j'ai déposé au palais les tablettes annonçant mon mariage avec Lilah.

— Mais que te veut-elle ? Pourquoi convoquer Lilah devant elle ?

— Parysatis n'aime rien tant que faire et défaire les épousailles et les carrières des officiers fidèles à son fils aîné. Ainsi, elle peut s'assurer de tous les mouvements de notre Roi des rois.

— Seigneur tout-puissant !

— Cela est efficace, gronda Antinoès. Elle est aujourd'hui si puissante qu'Artaxerxès lui-même la craint. On dit que ses lions ont dévoré certains des généraux les plus aimés de notre roi car ils avaient combattu, glaive à glaive, Cyrus le Jeune.

— Mais Cyrus se dressait contre Artaxerxès le Nouveau ! s'indigna Mardochée. Il marchait sur Babylone et Suse et minait le royaume avec sa rébellion pour usurper la place de son frère !

— Cyrus était le fils préféré de Parysatis, cela seul compte. Artaxerxès n'a d'ailleurs pas même osé s'opposer à sa mère. Mais aujourd'hui Parysatis ne peut plus ourdir de révolte contre le Roi des rois. Elle se contente de manœuvrer nos vies, à nous, les officiers.

— Crois-tu que...

La voix de Mardochée se brisa. Il passa une main lasse sur son visage et reprit plus fermement :

— Crois-tu qu'il faut craindre pour Lilah ?

Antinoès resta un instant sans répondre.

— On peut tout craindre d'une reine folle et puissante. Peut-être n'a-t-elle que le désir de la voir et de la convaincre de ne pas me prendre pour époux ? Ou peut-être veut-elle en faire sa servante ? Ou... Comment savoir ?

— Tu as des amis à la Citadelle, ils pourraient...

Antinoès l'interrompit d'un geste.

— Ce soir, on me refusera l'entrée du palais Blanc. Si j'insiste, j'indisposerai Parysatis. Cependant, si Lilah n'est pas de retour demain, j'irai devant la reine, quoi qu'il en coûte.

— Dieu du ciel !... marmonna Mardochée. Nous qui nous réjouissions tant de ton retour et de tes noces avec Lilah ! Je n'ose même plus parler à Sarah de crainte de l'entendre gémir !

La pluie était moins violente, mais la lumière du jour baissait rapidement. Ni Mardochée ni Antinoès n'avaient réclamé de lampe. Le ciel était tout simplement à l'unisson de leur humeur.

— Et moi qui suis allé me disputer avec Ezra ! grogna soudain Antinoès avec dépit.

— Ah ? grinça Mardochée en levant les sourcils. Comment va notre sage de la ville basse ?

— J'ai pensé qu'il était bon que je lui parle de Lilah et de moi, expliqua Antinoès.

Il se tut en haussant les épaules, les yeux guettant à nouveau les ombres pluvieuses de la cour. Il sursauta en croyant entendre le grondement de char. Mais ce n'était qu'un bruit venu de l'atelier. Mardochée, repoussant les tourments qui le rongeaient au profit d'une solide et coutumière colère contre Ezra, s'exclama sur un ton acide :

— Ne me dis rien, Antinoès ! Ne me dis rien ! Je sais comment cela s'est passé. Notre sage Ezra t'a traité comme s'il ne te connaissait pas. Il t'a jeté au visage quelques phrases tirées des rouleaux de papyrus qu'il lit à longueur de journée et t'a déclaré qu'il est impossible que tu fasses de Lilah ton épouse, car l'Éternel s'y refuse.

Antinoès ne put retenir un mince et amer sourire.

— Oui, acquiesça-t-il. Il menace de ne jamais revoir Lilah si elle m'épouse.

Mardochée leva les yeux vers le ciel ruisselant.

— Ah, Ezra ! gémit-il. J'ai aimé ce garçon comme mon fils. Antinoès, tu étais là, tu sais que je ne mens pas. Je l'aime toujours. C'est le plus fin et le plus intelligent des jeunes hommes à qui l'Éternel a donné vie. Mais je l'avoue : parfois, Sarah doit me retenir, tant l'envie me prend de courir jusqu'à la ville basse pour lui infliger une bonne leçon. Que Yhwh me pardonne !

Il grogna encore, balayant l'air de ses bras puissants. Puis son long visage, d'ordinaire plein de vie, parut se vider de toute énergie, comme lavé par la pluie.

— Ezra n'est pas Parysatis, grogna-t-il. S'il nous faut célébrer le mariage sans Ezra, nous le célébrerons sans Ezra. Lilah peut se satisfaire de mon accord. Mais à condition que...

Il n'acheva pas sa phrase et se redressa d'un bond : agitant une lampe sourde, Axatria traversait la cour détrempée. Le bruit de la pluie couvrit ses cris jusqu'à ce qu'elle soit proche.

— Lilah est revenue ! Lilah est revenue, maître Mardochée !

Elle s'interrompit en découvrant Antinoès. Elle reprit son souffle tandis qu'un sourire radieux illuminait ses joues ruisselantes.

— Elle est là, elle va bien. L'échanson l'a raccompagnée, dans son char plein de dorures. Trempé, grelottant et beaucoup moins fier que ce matin !

*
**

La nuit était venue et les lampes éclairaient la longue pièce commune lorsque Lilah, la voix lasse, acheva de raconter sa rencontre avec Parysatis. Elle se tenait bien droite. La fatigue lui creusait les traits plus encore que les ombres des lampes. Mais seul Antinoès remarqua un éclat grave et dur dans son regard.

Mardochée et Sarah, tout à leur joie de la retrouver, la pressèrent de questions. À nouveau Sarah et Axatria voulurent entendre comment on l'avait baignée et parfumée, comment elle avait passé les voiles de la salle de réception. Mardochée, lui, souhaitait mieux comprendre ce que la reine lui avait confié.

Lilah leur répondait avec calme, évitant avec soin de décrire la tunique qu'on l'avait contrainte à revêtir aussi bien que certains mots prononcés par Parysatis au bord de la fosse aux lions.

Antinoès l'observait en silence, refrénant le désir de la prendre dans ses bras, de la caresser doucement, la rassurant et se rassurant lui-même en respirant le parfum de sa peau. Le calme et l'étrange assurance que Lilah montrait après une pareille journée, il dut en convenir, l'intimidaient. Et la lui rendaient légèrement étrangère, pour la toute première fois depuis qu'ils étaient Antinoès et Lilah.

Finalement, masquant sa surprise, il demanda :

— Ainsi, Parysatis n'a rien interdit ni exigé ?

— Non, répondit Lilah.

Elle soutint son regard, eut un sourire tendre, amusé, même.

— La reine a une haute opinion d'Antinoès, héros du Roi des rois. Elle a l'intention d'en faire un grand de la Citadelle.

— Qu'Ahura-Mazdâ m'en protège ! s'écria Antinoès. Voilà une admiration dont je me passerais !

— Et pourquoi donc ? s'exclama Sarah. Tu devrais plutôt t'en réjouir.

Sarah renversa une cassette devant eux. Les colliers et bracelets que Lilah avait portés au palais tintèrent sur la table.

— Regarde : de l'or, de l'argent et même des pierres de lapis-lazuli ! La reine offrirait-elle tous ces bijoux à Lilah si elle pensait à mal ?

Antinoès siffla entre ses dents :

— Il y a moins d'une année, Parysatis a offert des bagues à l'épouse de l'un de ses neveux. Une bague pour chacun de ses doigts. Ensuite, elle a ordonné à ses eunuques de trancher les mains de cette pauvre femme.

124

Ses lions s'en sont nourris, avalant les bijoux avec les os. Comme la jeune femme hurlait de douleur, Parysatis lui a fait boire une potion qui lui a calciné la gorge. Ainsi a-t-elle pu, sans être dérangée par ses cris, la voir mourir lentement en se vidant de son sang.

— Dieu du ciel !

Un frisson qui n'était pas dû à la fraîcheur de l'orage passa sur eux. Ils n'osaient plus se regarder les uns les autres et encore moins lever les yeux vers Lilah.

Celle-ci s'inclina pour poser la main sur la cuisse d'Antinoès avec un petit rire doux et chaud.

— Allons, ne nous effraie pas plus qu'il n'est besoin. Nous savons tous ce que vaut la reine. Mais, pour l'heure, elle ne m'a rien tranché et ses lions m'ont semblé repus. Elle était curieuse de voir une jeune Juive. Cela n'a rien de bien extraordinaire.

Antinoès croisa son regard. Il approuva avec un peu de réticence.

Mardochée marmonna :

— Une jeune Juive qui sera bientôt l'épouse d'un grand Perse. Mon avis est qu'il ne faut plus tarder à célébrer vos noces. Antinoès est allé voir Ezra. Mais tant pis pour Ezra !

Lilah se raidit. Elle ôta sa main de la cuisse d'Antinoès, la bouche durcie.

— J'ai pensé qu'il était de mon devoir de lui parler, dit doucement Antinoès.

— Et cela s'est passé comme tu peux l'imaginer, soupira Mardochée. Il a traité Antinoès en étranger. Quelle honte !

Antinoès sourit pour adoucir la critique.

— Ezra est célèbre dans la ville basse. Ce sont les enfants qui m'ont guidé jusqu'à sa maison. Le char et l'escorte ont beaucoup impressionné.

— Oh, certainement ! fit Lilah sur un ton glacial.

Un char de guerre avec escorte, un officier en armes, je ne doute pas que tu aies impressionné.

— Lilah ! protesta Sarah.

— Il était inutile de dresser Ezra contre toi plus qu'il ne l'est déjà, dit encore Lilah à Antinoès.

— Lilah, intervint Mardochée avec impatience, peu importe ce que pense Ezra. Tu n'as pas besoin de son accord pour épouser Antinoès, puisque tu as le mien. C'est tout ce qui compte.

— Oh, oui ! renchérit Sarah. C'est bien suffisant. Je suis certaine que c'est la loi. Ezra ne pourra rien trouver à y redire.

— Ce qui est important, c'est de se dépêcher avant que la reine ne change d'avis. Ezra se fera une raison.

Ni Lilah ni Antinoès ne semblaient écouter Sarah et Mardochée. Ils s'observaient. Antinoès aurait voulu expliquer pourquoi il avait eu besoin de voir Ezra. Et qu'il avait pris soin de conférer à sa visite autant de simplicité qu'il se pouvait. Mais le visage de Lilah le réduisait au silence. Sa beauté était intacte, malgré la fatigue qui tendait ses joues et ses tempes et pinçait sa bouche. Cependant demeurait dans ses yeux cette drôle de flamme qui y brillait depuis son retour de chez la reine mère. Une flamme de glace, violente et calme à la fois, et qui lui était inconnue.

Puis ses paupières s'abaissèrent. Antinoès eut l'impression que Lilah s'en allait très loin de lui. Cela aussi était une sensation inconnue.

Alors que Mardochée parlait encore, Lilah se leva. Antinoès l'imita aussitôt, sans oser la toucher.

— Non, mon oncle, dit Lilah avec calme. Je sais que tu ne penses qu'à mon bien, mais les choses ne peuvent se passer ainsi. Pour Parysatis, il importe peu qu'Antinoès soit déjà mon époux ou pas. Ce que nous ferons, elle pourra le défaire d'un mot. Quant à Ezra...

Elle se tourna vers Antinoès et posa la main sur sa poitrine. Il eut le sentiment qu'elle s'appuyait sur lui pour trouver son équilibre. Il lui saisit le poignet et la retint.

— Antinoès le sait depuis le premier jour où nous nous aimons, reprit Lilah. Ezra devra approuver nos épousailles.

— Lilah ! s'écria Sarah en se redressant.

Mardochée saisit Sarah par les épaules, la serra contre lui.

— Je dis ce qui est vrai, tante Sarah. À quoi ressembleraient nos noces si je ne devais plus jamais revoir Ezra ?

À nouveau ce fut le silence.

Antinoès, sans un mot, sans esquisser une caresse, s'écarta de Lilah. Un instant plus tard, son char quittait la maison de Mardochée. La pluie venait seulement de cesser et les soldats de l'escorte, le ventre lourd de bière, portant les torches, durent patauger dans la boue qui envahissait les rues.

*
**

Au cours des jours suivants, chacun reprit son souffle. Tant de choses étaient advenues en si peu de temps que le cours ordinaire de la vie semblait s'être brisé sur les événements comme une barque sur des récifs.

Si nul n'oublia les épousailles de Lilah et d'Antinoès, il n'en fut plus question. À la vigoureuse demande de Mardochée, Sarah, au prix d'un effort qui ne lui était pas coutumier, parvint à tenir sa langue et plus encore ses regards.

Cependant, alors que le soleil d'automne revenait dans le ciel transparent de Suse, la pensée de la reine mère demeurait suspendue dans les esprits, menaçante telle une nuée de cendres. Elle réveillait Mardochée la nuit. Dans la journée, il lui arrivait soudain de suspendre son travail pour tendre l'oreille : il croyait entendre le char du troisième échanson.

Lilah, elle, s'éveillait avec le sourire de Parysatis devant les yeux. Dans ses rêves, les caresses ambiguës de la reine redevenaient réalité. Elle s'y voyait nue, offerte sur la plate-forme de la fosse aux lions. Et les lions possédaient le bizarre visage d'enfant vieilli de la reine.

Sa colère contre Antinoès, qui était stupidement allé se pavaner dans la ville basse en grande tenue de guerrier, s'était estompée. La tentation de courir se fondre dans ses bras, d'y retrouver la paix et la confiance était grande. À qui d'autre aurait-elle pu confier les résolutions nées durant son humiliante visite à Parysatis ?

Pourtant, elle résista. Une décision était en train de naître au plus profond de son cœur, par-delà l'amour et la tendresse. Une décision qu'elle allait partager avec son amant bien-aimé comme on partage le souffle du désir.

Mais il n'était pas encore temps.

D'ailleurs, Antinoès était fort occupé.

Chaque jour, il lui fallait se rendre à la Citadelle. Ainsi que tous les officiers de son rang, il devait apparaître dans la grande cour royale de l'Apadana, tandis que le Roi des rois prenait ses repas, seul ou goûtant l'agrément de quelques concubines.

Ensuite, selon son plaisir, Artaxerxès le Nouveau conviait les uns ou les autres à lui tenir compagnie à l'abri d'un paravent. Il questionnait ses généraux et ses héros, se faisant conter leurs batailles et les mœurs des pays qu'ils avaient traversés ou vaincus.

Ainsi, il s'écoula un quart de lune. Puis enfin, un matin, Axatria prépara le couffin de provisions à porter dans la ville basse.

Lilah, qui la vit faire, approuva d'un sourire.

C'était « le jour de son jour », comme l'appelait Sogdiam. Elle était prête à aller voir Ezra. Elle était enfin prête à lui dire ces mots qu'elle avait cent fois prononcés dans le silence de ses nuits.

Lilah et Axatria tenaient chacune une lanière du couffin. Comme d'habitude, les enfants les accompagnaient de leurs cris. Cependant, elles eurent le temps de parvenir tout près de la maison d'Ezra avant que Sogdiam, sautillant sur ses jambes déformées, accourût à leur rencontre.

L'œil brillant de dépit autant que d'excitation, il expliqua sans reprendre son souffle qu'il savait bien que Lilah viendrait en ce jour et qu'il ne l'avait pas oubliée, loin de là.

— Mais alors que j'allais quitter la maison, Ezra a voulu que je prépare des tisanes et cuise des petits pains. Maître Baruch et lui ont un visiteur. Quelqu'un d'important !

Il attrapa l'anse de cuir du couffin que tenait Lilah pour en partager le poids avec Axatria.

— D'important et avec qui il n'est pas fâché, ajouta-t-il en coulant un regard vers Lilah.

— Antinoès n'aurait jamais dû venir en char.

— Oh que si ! protesta Sogdiam. Tout le monde était drôlement content de voir un si beau char dans nos rues. Ce n'est pas si souvent que cela arrive.

Sogdiam se tut, pensif, puis ajouta sur un ton vibrant d'admiration :

— Lui aussi, il est beau. Et même gentil, pour un Perse. Ezra s'est fâché contre lui, mais il est resté calme.

Comme s'il recevait des flèches sur un champ de bataille et qu'elles ne l'atteignaient pas.

Lilah rougit, évita le coup d'œil de l'adolescent. Axatria, avec à-propos, changea le cours des pensées de Sogdiam en demandant :

— Pourquoi dis-tu qu'il est important, ce visiteur ?

— C'est sûr qu'il l'est, assura Sogdiam en roulant des yeux. Ezra et maître Baruch ont interrompu leur étude dès qu'il est entré dans la cour. Maître Baruch s'est levé pour le saluer. Zacharie, il s'appelle, Zacharie, fils de Pareosh. Et ils m'ont ordonné de lui servir à boire et à manger. Bien sûr qu'il est important, Axatria.

Traversant la cour en direction de la cuisine, Lilah et Axatria glissèrent un rapide regard vers la salle d'étude dont la porte était ouverte, comme d'ordinaire. Maître Baruch, Ezra et le visiteur étaient assis sur les tabourets et conversaient avec animation.

L'homme était inconnu de Lilah, cependant elle identifia aussitôt l'un de ces Juifs de Suse ou de Babylone qui, au contraire de son oncle Mardochée, conservaient dans leurs apparences les coutumes du temps d'avant l'exil. Vêtu d'une longue tunique à bandes bleu sombre et gris, il portait un bonnet cylindrique sur ses cheveux drus et courts. Sa barbe, longue et clairsemée, n'offrait aucun des apprêts qu'affectionnaient les Perses. Il semblait plus grand qu'Ezra et âgé d'au moins quarante ans. Sa bouche était petite, son regard mobile, sa voix insistante. Ses mains, courtes et potelées, soulignaient ses propos comme s'il les écrivait dans l'air.

Axatria et Lilah prirent soin de vider sans faire trop de bruit le couffin dans la cuisine. Les voix leur parvenaient depuis la salle d'étude, résonnant puis s'étouffant entre les murs, y abandonnant des lambeaux de phrases. Lilah ne résista pas longtemps. Sa curiosité était trop grande. Un doigt sur les lèvres, elle réclama le silence d'Axatria et de Sogdiam et se glissa sur le seuil de la cuisine. Les épaules contre le mur, elle s'approcha tout près de la porte de la salle d'étude. L'inconnu déclarait :

— Ezra, ce que je te dis, je le pense, et ceux de ma famille le pensent aussi. Cela fait cent cinquante fils et neveux. Ta lettre nous a planté une flèche dans le cœur. Nous ignorions cette catastrophe. Nous étions dans le bonheur de l'ouvrage que Néhémie accomplissait à Jérusalem...

— Vous étiez dans le bonheur parce que vous étiez ici, l'interrompit maître Baruch avec ironie. Ici, dans les coussins de l'insouciance ! Pas avec Néhémie. Non ! Pas avec le souci de savoir ce qu'il lui arrivait, à lui, là-bas, à Jérusalem, où il n'y a encore aucune place pour le bonheur ! Et dans l'oubli de la colère de l'Éternel qui nous a chassés de la terre de Judée pour être devenu sourds à Sa Parole.

— Tu as raison, maître Baruch ! Hélas ! tu as raison.

— Bien sûr que j'ai raison, Zacharie ! Hélas, hélas ! Car ce que je te reproche, je me le reproche au centuple. Nous sommes ici, sous l'aile du roi des Perses, et l'Éternel nous attend là-bas.

— Voilà ce qui est, intervint Ezra d'une voix ferme et paisible. Les fils d'Israël sont ici et là. Autant dire qu'ils ne sont nulle part. Ils sont un peuple, de père en fils. Mais ils ne sont plus une nation qui vit sur la terre où Yhwh a conduit Abraham.

— Aussi, pourquoi Néhémie a-t-il échoué ? gémit Zacharie. Il est parti avec la volonté du Roi des rois. Il est parti avec de l'or, des soldats. Il est parti avec la main de Yhwh sur lui !

— En es-tu si certain ? répliqua Ezra, toujours aussi calme.

— Qu'entends-tu par là ?

— Si la main de Yhwh avait été sur lui, il n'aurait pas échoué, soupira maître Baruch. Depuis quand la volonté de l'Éternel ne s'accomplit-elle pas ? Crois-tu, ami Zacharie, que les murs de Jérusalem et du Temple ne seraient pas redressés si Yhwh l'avait voulu ?

— Voilà l'erreur, renchérit la voix toujours égale d'Ezra. Néhémie est parti redresser des murs. Yhwh ne l'a pas soutenu. Pourquoi ? Parce que ce ne sont pas seulement les murs de Jérusalem qu'il faut redresser, Zacharie.

— Oui, murmura Zacharie. Le Temple aussi et...

— Ce sont des cœurs et des pensées qui ont fendu les murs du Temple, fit Ezra d'une voix cette fois plus forte. Ce sont des cœurs et des pensées qui ont permis à Babylone de réduire la terre de Judée en poussière. Ce sont donc des cœurs et des pensées qu'il faut redresser avant de relever les pierres des murs.

Il y eut un silence. Puis, d'une voix sourde, Zacharie murmura :

— Tu as raison, Ezra. Le proverbe le dit bien : « Les pères mangent le raisin vert et les fils en ont les dents agacées ! »

Le rire d'Ezra fut presque un cri, acide et dur :

— Ah, Zacharie ! Non ! Tu te trompes. Toi, les tiens et tous ceux de l'exil qui allez en gémissant sur le temps passé. Vous laissez l'ignorance vous guider ! N'avez-vous plus le souvenir de la parole d'Ézéchiel à Babylone ? *« Toutes les vies appartiennent à Yhwh ! La vie du père Lui appartient comme la vie du fils, car Yhwh est justice. Il ne condamne pas le fils pour la faute du père. Au contraire, si le fils est sans faute, Il la fait fructifier. Celui qui vit dans la Loi de Yhwh vit sans crainte, le sang du père ne tombe pas sur le fils, la faute du père ne coule pas dans les veines du fils. »* Voilà la justice que Yhwh a enseignée à Moïse, Zacharie. Et, si aujourd'hui Yhwh ne permet pas que Jérusalem soit redressée, c'est que nous ne vivons pas selon Ses décrets. Nous tous, Zacharie. Toi, moi, les tiens, ceux de l'exil comme ceux qui se prétendent fils d'Israël, là-bas, à Jérusalem.

Lilah crut entendre un gémissement. Les trois hommes se tinrent silencieux un long moment. Lilah allait s'écarter du mur et se présenter sur le seuil de la pièce, lorsque Zacharie déclara d'une voix émue :

— Tu dis le vrai, Ezra. Voilà pourquoi moi et les miens, nous nous tournons vers toi. Voilà pourquoi je viens te voir en te disant : « Conduis-nous, nous te suivrons. »

Ezra eut un grognement irrité.

— Ce n'est pas vers moi que vous devez vous tourner, mais vers la Parole de Yhwh. C'est Elle qui vous conduira. Vous n'avez pas besoin de moi pour cela.

— Oh que si ! Nul mieux que toi ne connaît les rouleaux de Moïse. Maître Baruch le dit lui-même. Interroge-nous, Ezra ! Tu n'entendras que des balbutiements. Tu m'expliques une chose, j'en comprends une autre. Tu viens de t'en rendre compte.

— Faites comme moi. Faites comme maître Baruch. Prenez les rouleaux, lisez et apprenez. Il n'y a rien d'autre à faire.

— Comment veux-tu que l'ignorant apprenne ce qu'il ignore, si on ne guide pas son esprit et son cœur ? objecta Zacharie avec feu. Comment nous tourner vers les paroles de l'Éternel si maître Baruch et toi vous ne nous en éclairez pas le sens par votre étude ?

— Zacharie ! gloussa maître Baruch d'un ton moqueur. Tes paroles sont un miel pour l'orgueil. Mais je ne conseille à personne d'affronter un trop long voyage avec ma lumière. Comme tu le vois, je ne suis plus qu'un lumignon sans huile.

Le vieux maître laissa fuser son drôle de rire avant de lancer d'une voix forte :

— Lilah, ma colombe, depuis quand crains-tu de nous déranger ? Cesse de te cacher derrière la porte et viens près de nous.

*
**

L'entrée de Lilah dans la pièce plongea Ezra et son visiteur dans l'embarras. Zacharie osait à peine lever les yeux sur elle, mais maître Baruch l'accueillit avec tant d'effusion et de bonne humeur qu'ils ne purent maintenir le sérieux de leur discussion.

Un instant plus tard, Zacharie s'en fut avec la promesse qu'il serait le bienvenu aussi souvent qu'il le voudrait.

Quand la porte de la cour se fut refermée, maître Baruch soupira, mi-sévère mi-moqueur :

— Tu as entendu, ma colombe : ce Zacharie a mauvaise conscience ! Assurément, il est ignorant et, assurément, il serait plus utile à Jérusalem qu'à gémir par ici ! Ils sont des dizaines comme celui-ci à admirer ton frère. Mais l'admiration, si elle est douce aux oreilles, ne mène pas au savoir, et encore moins au courage.

Lilah se tourna vers Ezra, certaine qu'il allait répliquer. Mais le regard d'Ezra était posé sur elle. Peut-être n'avait-il pas même entendu la provocation de maître Baruch. Un regard qu'elle connaissait assez pour qu'Ezra puisse se passer de mots. Elle y lisait la crainte, les questions et l'attente. Des yeux qui chuchotaient :

« Vas-tu me parler d'Antinoès ? Es-tu venue, ma sœur bien-aimée, pour me dire ce que je ne veux pas entendre ? »

Maître Baruch se laissa glisser sur sa couche avec un bruyant soupir. Lilah sourit et déclara doucement :

— Pourquoi se moquer de leur admiration, maître Baruch ? Peut-être n'est-elle qu'une vérité ?

— Que veux-tu dire ? demanda Ezra en fronçant les sourcils.

— Qu'il est temps que tu deviennes ce que chacun attend de toi.

Ezra sourit, dédaigneux.

— Ah ! On attend quelque chose de moi ? Yhwh attend de moi. Et je Lui réponds en demeurant ici, en accomplissant mon étude, en lisant Sa Parole comme on respire.

— Crois-tu que ce soit toujours la bonne réponse ?

— Lilah ! As-tu l'ambition de m'enseigner la sagesse ?

Maître Baruch s'était redressé à demi. Ses mains s'agitèrent au-dessus de sa barbe de neige.

— Laisse-la parler, mon garçon, laisse-la parler !

— Zacharie te dit : « Nous avons besoin de toi. Explique-nous, conduis-nous. » Pourquoi refuser ?

— Et où devrais-je les conduire ? ricana Ezra.

— À Jérusalem.

Ezra fut debout d'un bond.

— Tu es folle !

— Crois-tu ? Que signifient aujourd'hui sagesse et courage s'il ne s'agit pas de poursuivre l'ouvrage commencé par Néhémie ? Maître Baruch le dit lui-même : à quoi bon gémir si cela n'engendre aucune volonté ?

Ezra jeta un regard à maître Baruch. Le vieux maître ne riait plus. Ses prunelles brillaient, aux aguets, son

135

souffle était court et silencieux. Sogdiam et Axatria apparurent sur le seuil, portant des plateaux. Ezra ne leur accorda pas la moindre attention.

— Je l'ai répété à Zacharie : si Néhémie a échoué, c'est que Yhwh juge qu'il n'est pas encore temps de relever Jérusalem.

— Voilà une excuse facile pour celui qui n'aurait pas le courage d'affronter son destin.

Ezra rougit jusqu'à la racine des cheveux. Lilah s'avança et lui saisit les mains. Elle devina le frisson qui parcourait son frère. Elle dit doucement :

— Moïse, Aaron et tout le peuple d'Israël n'ont-ils pas découvert que la main de Dieu était sur eux en affrontant les sortilèges de Pharaon ? N'est-ce pas ce que tu m'as toi-même enseigné, Ezra ?

Maître Baruch s'agita sur son siège et gloussa :

— C'est bien, ma fille, c'est bien !

— Moïse a aussi demandé souvent à Yhwh : « *Pourquoi moi ?* » répliqua Ezra avec dureté.

— Et l'Éternel a répondu : « *Parce que j'en ai décidé ainsi !* » assena maître Baruch.

Ezra secoua la tête et retira ses mains de celles de Lilah. La rougeur demeurait sur ses joues, mais le noir de ses yeux brillait d'une autre émotion que la colère.

— Allons donc ! fit-il après un instant de réflexion. Vous oubliez que Néhémie a pu quitter Suse et conduire ceux de l'exil à Yehoud parce le Roi des rois avait décidé que cela était bon pour lui.

— Yhwh avait fourré une bonne politique dans la cervelle de Cyrus le Grand, approuva maître Baruch.

— Oui, mon maître. Et aujourd'hui, je n'entends rien de tel venir de la Citadelle.

— Et si cela venait ? intervint Lilah. Si Artaxerxès te convoquait et te disait : « Va, Ezra, reconduis ton peuple à Jérusalem ! Remonte les murs de ton Temple ! »

— Lilah, tu es folle.

— Réponds-moi, Ezra : s'il te le demandait, accepterais-tu ?

Ezra se figea et la considéra un moment. Les paupières de maître Baruch n'étaient plus que deux fentes où luisaient à peine les pupilles. Sa barbe trembla. Ezra se mit à rire. Un rire aigu et nerveux.

— Allons, Lilah ! Tu sais que ce n'est pas possible. Regarde-moi. Regarde cette pièce et ce qui nous entoure ! Pourquoi le Roi des rois poserait-il son regard sur moi ?

— Parce que Yhwh le voudra.

Le visage d'Ezra s'assombrit. Il leva la main.

— Lilah, ne parle pas ainsi. Ce n'est pas...

— Laisse-la s'exprimer, mon garçon, l'interrompit maître Baruch sans sourire.

— J'y pense depuis des jours, Ezra. Et, aujourd'hui, je sais que j'ai raison. Je le sais, comme ce Zacharie dont vous vous moquez, comme tous ceux qui évoquent Ezra en l'appelant le « sage de la ville basse ». Crois-tu qu'ils t'admirent parce que tu passes ton temps le nez plongé dans les rouleaux de papyrus ? Parce que tu es devenu savant autant ou plus que maître Baruch ?

Elle jeta un regard vers le vieux maître. Il l'encouragea d'un signe de tête.

— Non, ce qu'ils admirent, Ezra, c'est l'obstination qu'il t'a fallu pour venir et demeurer ici. Et cette obstination, nous en avons besoin pour espérer, pour cesser d'être un peuple éparpillé telles les miettes d'une galette dans la poussière des royaumes d'Artaxerxès le Nouveau.

Axatria et Sogdiam, sur le seuil, écoutaient. Ezra eut un mouvement pour les chasser, mais finalement retint son geste. Avec un sourire il fit glisser ses doigts sur la joue de Lilah.

— J'aime tes paroles, ma sœur, elles me prouvent ta tendresse. Mais tu dis une chose fausse. Ils n'attendent rien de tel, ceux de l'exil. Si cela était, ils auraient traversé le désert avec Néhémie, et Yhwh aurait étendu Sa main sur eux. Non, ils sont trop bien ici, tout comme notre oncle Mardochée, je te l'assure.

— Parce que personne ne se dresse pour leur montrer où se trouve leur devoir, s'obstina Lilah. Parce que personne ne fait le premier pas vers le désert. Parce que personne ne va devant le Roi des rois et ne lui dit : « Laisse-moi entrer dans Jérusalem et redresser le Temple du Dieu du ciel. »

Ezra rit. Il attrapa Lilah par les épaules et la serra contre lui. Le bonheur lui illuminait le front. Axatria, Sogdiam et maître Baruch ne l'avaient vu aussi joyeux depuis longtemps.

— Lilah ! Nous ne sommes plus des enfants ! Nous n'avons plus l'âge de jouer avec des rêves. Mais je comprends combien tu m'aimes en prononçant ces mots...

— Non, Ezra !

Lilah repoussa son frère d'un geste aussi ferme que sa voix.

— Ne me traite pas comme une enfant. Et rien de mon amour pour toi ne m'aveugle. Je sais qui tu es. C'est à toi désormais de savoir ce que valent tes mots et ton courage.

La joie d'Ezra avait déjà fui. L'ombre du désarroi passa sur ses traits.

— Je ne désire pas être celui que tu décris, souffla-t-il. Je suis dans l'étude avec maître Baruch. L'étude ne s'interrompt pas, même pour remonter les murs de Jérusalem !

— Ah ! voilà qu'il dit ce que j'ai dit à Néhémie ! s'exclama le vieux maître d'une voix perçante. Ah oui, voilà bien la sottise que j'attendais de toi, mon garçon !

— N'est-ce pas ce que tu m'as enseigné ?

— Oh oui, je l'ai dit, je l'ai dit !

Le rire secoua le petit corps fragile de maître Baruch. Il cligna de l'œil vers Lilah.

— J'ajoute : l'étude n'a pas de fin, mais le maître de l'étude, lui, en a une.

Il y eut un étrange silence.

Lilah se tourna vers le seuil et se dirigea vers la cour.

— Lilah, tu ne peux pas proférer la volonté de Yhwh ! cria Ezra dans son dos. Ce serait un blasphème.

Lilah se retourna, souriante. Elle approuva d'un mouvement de tête.

— Ce n'est pas mon intention. Mais si Artaxerxès t'ordonne de te présenter devant lui, tu devras bien te rappeler comment Moïse a poussé Aaron devant Pharaon.

*
**

Tandis que le char les ramenait, pensives et silencieuses, vers Suse-la-Ville, Axatria finit par dire :

— Une fois de plus, tu étais en présence d'Ezra et tu ne lui as pas parlé de ton mariage. Ton oncle et ta tante vont s'en ronger les sangs.

— Ezra sait sur mon mariage tout ce qu'il a à savoir, répliqua Lilah.

— Mais il ne le veut toujours pas.

— Ça n'a plus d'importance.

Axatria sursauta, ouvrit de grands yeux.

— Tu ne veux plus te marier ?

— Ai-je dit cela ? J'en ai fait la promesse : je me marierai, Axatria. Après.

— Après ?

Lilah ne répondit pas.

Axatria demeura silencieuse toute la longueur d'une rue, le regard fixé sur la tête dodelinant du jeune esclave qui conduisait leur attelage. Puis, enfin, elle s'exclama :

— Tu crois vraiment ce que tu as dit à Ezra ? Que le Roi des rois le convoquera au palais ?

— Oui.

— Mais Ezra a raison. C'est impossible. Comment le Roi des rois pourrait-il savoir qui est Ezra et qu'il...

Elle s'interrompit, dévisagea Lilah intensément.

— Ah ! souffla-t-elle. Parysatis ne t'a pas fait venir devant elle uniquement pour t'offrir des bijoux.

Lilah sourit sans répondre.

La promesse

La salle des eaux était tout en longueur. La voûte aux briques vernissées, décorée de monstres des mers, d'hommes-poissons, d'oiseaux que nul n'avait vus de ses yeux, en formait tout à la fois le plafond et les murs. Les volutes d'une vapeur odorante étouffaient le clapotis de l'eau, les murmures et les rires.

Les eunuques avaient conduit Antinoès près d'un paravent de toile qui en clôturait l'extrémité et interdisait la vue sur le long bassin qui occupait quasiment tout l'espace. Des serviteurs faisaient bouillir de l'huile d'eucalyptus et de benjoin ainsi que de la résine d'ambre qu'ils versaient dans l'eau. L'air était si lourd, si odoriférant, qu'Antinoès dut s'y accoutumer avant de pouvoir respirer librement.

On lui avait ôté son baudrier, ses armes et même ses sandales, car il était déjà arrivé que des lames meurtrières y fussent dissimulées. Lorsqu'il prit place sur une couche basse, un essaim de servantes lui apporta, sur des plateaux de cuivre, des boissons aux couleurs vives, des petits gâteaux à la poudre d'amande et au miel parfumé à la cardamome.

Déjà la sueur perlait à son front. Il s'était préparé à être patient, à ce que le fiel de la peur ne mine pas sa raison. Pourtant, lorsque la voix jaillit de derrière le paravent, il tressaillit comme si l'on avait dégainé par surprise des glaives autour de lui.

— Antinoès ! Bel Antinoès ! Discret Antinoès ! Ainsi, il a fallu que je te réclame pour obtenir ton salut, alors que tu es dans Suse depuis des jours !

— Ma reine... balbutia Antinoès.

Il y avait dans le ton de Parysatis une ironie sensuelle qui le déroutait tout autant que le reproche.

— Ma reine, reprit-il en tentant d'insuffler plus de fermeté à sa voix, comment aurais-je osé me présenter devant toi sans y être convié ?

Un rire rauque vibra de l'autre côté du paravent.

— Oui, n'est-ce pas ? Comment aurais-tu osé ?

Parysatis rit encore. Les muscles d'Antinoès se détendirent. Cela avait été la bonne réponse.

Il entendit des bruits d'eau, mais plus aucun mot pendant longtemps. Antinoès n'osait ni boire ni manger. La couche où on l'avait installé était moelleuse et accueillante. Il s'y tenait pourtant avec raideur, aussi immobile que les eunuques et les servantes qui l'entouraient.

Soudain, Parysatis lança :

— Tu ne manques pas de courage, à ce qu'il paraît, jeune Antinoès. Notre Roi des rois a posé les yeux sur toi, il fallait bien que j'en fasse autant.

Sa voix venait de plus loin, résonnait contre la voûte :

— Karkemish, Gordion, Sardes, Arbèles et Opis... Entends-tu comme je t'aime ? Je connais par cœur tous les noms de tes batailles. Ta Juive Lilah en sait-elle autant ?

Au nom de Lilah, Antinoès perçut la morsure de la peur dans ses reins. Il y avait eu peu de combats, parmi ceux que Parysatis venait de citer, où il l'avait ressentie avec une telle intensité.

Parysatis s'impatienta :

— Eh bien, Antinoès ? Dois-je attendre ta réponse ?

— Non, ma reine. Je songeais seulement que tu as raison. Lilah ne connaît pas le nom de mes batailles.

— Modeste Antinoès ! gloussa Parysatis.

À nouveau il y eut des bruits d'eau, des rires de femmes. Antinoès entendit la reine donner des ordres, réclamer des linges et à boire. Sa voix s'approcha. Il perçut des frôlements de tissu. Elle devait à présent se tenir tout près de lui derrière le paravent.

— Ainsi, tu veux l'épouser ?

— Oui, ma reine.

— Elle raconte que tu lui en as fait la promesse.

— Oui, ma reine. Nous étions enfants, mais nous n'avons pas changé.

— Comment cela se fait-il ? Toi, le fils de mon bien-aimé Artobasanez ! Ton père te laissait courir avec cette Juive ?

— Il l'aimait comme sa fille, et moi comme ma sœur.

Parysatis ricana.

— Ne mens pas, beau guerrier. Tu ne l'aimes pas comme une sœur. Est-il vrai que les Juives sont inventives en amour ? On le prétend.

— Je ne le sais pas, ma reine. Je n'ai jamais connu d'autre femme.

— Oh ! Antinoès !

Le rire jaillit et rebondit contre la voûte de brique.

— Antinoès ! Pas une Grecque, pas une Assyrienne, pas même une fille des montagnes ?

Antinoès devina les sourires dans les yeux des eunuques qui le surveillaient. Il ne laissa pas vibrer un seul muscle de son visage. Il ne doutait pas que sa peur, son calme ou sa colère seraient bientôt rapportés à Parysatis avant d'être, dès le soir, colportés à travers la Citadelle entière.

— Non, ma reine, admit-il après un temps.

— Ainsi, tu l'aimes, susurra la voix de Parysatis.

Antinoès perçut un roucoulement pareil à celui d'un pigeon, puis comprit que c'était un rire... Un autre rire de Parysatis.

— Un héros du Roi des rois qui aime une Juive. Voilà ce qu'on n'a pas entendu depuis longtemps, par ici ! Mais tu n'es plus un enfant, Antinoès. Les promesses de l'enfance sont destinées à mourir avec l'enfance.

Il n'y avait rien à répondre, et Antinoès se tut.

— Ainsi, c'est vrai, s'amusa Parysatis, tu es courageux. Tu oses ne pas me dire : « Oui, ma reine ! »

Il se tut encore.

— Sais-tu que si tu épouses cette Juive, tu deviendras le fils d'un marchand de chars.

— Oui, ma reine.

— Allons, ne sois pas stupide ! Ne me réponds pas : « Oui, ma reine ! » Réponds-moi : « Non, ma reine, c'est impossible. Moi, un futur satrape, je ne peux épouser une Juive ! » Fais-en ta concubine, si tu ne peux t'en passer. Un héros du Roi des rois, un futur satrape peut avoir autant de concubines que de caprices.

— Ma reine, tu dis la vérité : j'aime Lilah. Elle est mon amante, celle à qui j'ai fait la promesse des épousailles.

— Ah ! Que tu es bête !

Il n'y avait plus de rire dans la voix de Parysatis, plutôt une sécheresse coupante.

Malgré son orgueil, Antinoès ne put éviter sa respiration de se précipiter, trop rapide et chaotique. Il ne put empêcher la sueur de couler sur son front. Et ce n'était pas seulement l'effet de l'air étouffant.

— Qu'as-tu à me dire, Antinoès ?

Il ferma les yeux.

— Ma reine, j'obéis en tout à mon roi. J'ai déposé la tablette annonçant mes épousailles, comme un officier se doit de le faire.

De l'autre côté du paravent, il y eut un silence, un long silence. Puis un violent claquement de paumes. Les eunuques se précipitèrent et, en un tournemain, ils écartèrent l'un des panneaux de toile.

Stupéfait, Antinoès découvrit le bassin d'eau chaude et transparente où nageaient une demi-douzaine d'adolescentes. Et, tout près, sur une couche, un eunuque au visage livide qui massait en mouvements réguliers le corps petit et huilé de Parysatis.

Elle était nue, allongée sur le ventre. Ses paupières étaient closes, son visage pressé contre la couche plus étrangement fripé et vieilli que jamais. Antinoès se prosterna et demeura le front contre le sol.

Parysatis déclara d'une voix caressante :

— Ils ne sont pas nombreux, Antinoès, ceux qui ont vu Parysatis dans son bain et qui peuvent encore se le rappeler. Redresse-toi, que je t'examine.

Il obéit, pressa les mains sur ses cuisses pour qu'elles ne tremblent pas. Parysatis ouvrit les paupières et détailla le visage du jeune guerrier tandis que l'eunuque poursuivait son massage. Puis, d'un geste brutal, elle le repoussa et se redressa, dévoilant son buste aux seins juvéniles.

Elle frappa dans ses mains. Les fillettes se ruèrent hors du bain pour venir s'aligner près d'elle. La plus âgée n'avait pas quinze années, certaines n'étaient encore que des enfants. Leurs sourires ne masquaient ni leur embarras ni leur crainte.

— Les nièces de Parysatis, annonça la reine avec un sourire qui laissait ses yeux de glace. Tu peux choisir. Antinoès, neveu de Parysatis ! Voilà qui me plairait !

Antinoès resta muet. Parysatis grogna et claqua des doigts en direction des jeunes filles, qui s'empressèrent de disparaître dans le bassin.

— Depuis quand les guerriers parlent-ils d'amour, héros du Roi des rois ? Tu seras la risée de l'Apadana si on l'apprend !

Elle se mit debout, ne voilant plus rien de sa nudité. Antinoès baissa les yeux alors qu'elle ordonnait à des servantes de l'enduire d'huiles parfumées.

— Tu es un enfant, Antinoès. Tu ignores tout de ce qui est sérieux. Heureusement que ta Juive a plus de cervelle que toi. Elle, elle sait ce qu'est la sagesse.

Reprises par leurs jeux, les fillettes se mirent à rire en s'éclaboussant. Parysatis fronça les sourcils de fureur, leur hurla de disparaître. Son ordre résonna contre la voûte de la salle d'eau. Les eunuques en armes coururent le long du bassin pour repousser les nièces de la reine de la pointe de leur lance. Avec des glapissements d'effroi, les fillettes disparurent dans un étroit tunnel qui s'ouvrait à l'autre extrémité de la salle. Quand le calme fut revenu, Parysatis murmura :

— Je pourrais nourrir mes lions avec ta Lilah. Ainsi, tu serais délivré de ta promesse. Mais il se passe une chose étrange, Antinoès. Je suis comme toi. Je l'aime bien, cette Juive. Elle me plaît. Et elle, elle est assez sage pour n'avoir aucune envie de tenir sa promesse.

Le rire roucoulant de Parysatis se mêla à l'épaisse vapeur du bain. Elle repoussa ses servantes, s'approcha tout près d'Antinoès et lui saisit le menton pour lui relever le visage.

— Tu ne veux pas savoir pourquoi ?

Soutenant le regard de la reine, Antinoès ne répondit rien. Parysatis eut une moue douloureuse. Elle ordonna :

— Pose tes lèvres sur les miennes, héros du Roi des rois, que je sache ce que goûte ta Juive.

Sarah poussa avec précaution la porte de la chambre de Lilah. Axatria, qui changeait les draps de la couche, sursauta.

— Tu m'as fait peur, maîtresse.

— Lilah n'est pas là ?

Le visage d'Axatria s'illumina. Tout bas, sur le ton du secret, elle murmura :

— Elle a couru chez Antinoès. Elle ne se tenait plus d'impatience. Quatre jours qu'ils ne se sont vus. Elle a beaucoup de choses à lui raconter.

L'excitation dans les yeux, Sarah referma la porte de la chambre derrière elle.

— Ça y est, elle a parlé à Ezra ?

Axatria prit le temps de pousser le linge sale dans une panière avant de secouer la tête.

— Elle lui a parlé, oui, mais pas comme tu le crois.

— Ne fais pas tant de mystères ! s'agaça Sarah. Raconte.

— Lilah dit qu'Ezra doit aller à Jérusalem.

— À Jérusalem ?

— Oui, pour y prendre la suite du sage Néhémie. Y aller avec des gens de Suse et de Babylone. Elle dit qu'il est le seul à en être capable.

— Mais de quoi me parles-tu, ma fille ?

Axatria dut reprendre par le début le récit des événements. Elle raconta la visite de Lilah dans la ville basse, la rencontre avec le nommé Zacharie et, mot pour mot, ou peu s'en fallait, ce que Lilah avait déclaré à Ezra.

Sarah dut s'asseoir sur le lit pour écouter jusqu'au bout sans défaillir. Quand Axatria se tut, elle ne bougeait pas plus qu'une bûche.

Axatria n'entendait pas qu'on lui gâche son bonheur. Avec fierté elle ajouta :

— J'ai toujours su qu'Ezra deviendrait un grand homme. Lilah dit que le Dieu du ciel convaincra le roi d'envoyer Ezra à Jérusalem. Elle le sait. Et je la crois.

Sarah observa d'abord la servante d'un œil morne. Puis les mots franchirent la vague de désolation qui la submergeait.

— Toi, qui n'es pas même juive, tu vas m'apprendre ce que vaut Ezra et ce que l'Éternel attend de lui ? lança-t-elle avec un rire acide avant de quitter la chambre.

À la nuit tombante, Mardochée fit à son tour venir Axatria. Elle avait pleuré et ses yeux bordés de rouge cherchaient querelle. Mais Mardochée usa de douceur et elle répéta ce qu'elle avait dit à Sarah.

Mardochée écouta chacune de ses paroles avec attention. La perplexité le rendit à son tour silencieux. Enfin, il demanda :

— Tu es sûre de ce que tu racontes ? Lilah a dit qu'elle allait malgré tout épouser Antinoès ?

Avec un soupir d'exaspération, Axatria martela les phrases de Lilah :

— « Je me marierai, Axatria. J'en ai fait la promesse. » Voilà ce qu'elle a dit.

Se glissant dans l'ombre, Sarah était venue écouter à nouveau. Elle ne put retenir un ricanement de dépit :

— Lilah est folle. On tremble pour son mariage et elle, tout ce qu'elle trouve à faire, c'est de proclamer Ezra sauveur de Jérusalem !

— Si elle dit qu'Ezra en est capable, c'est qu'elle a raison ! protesta Axatria, la voix tremblante de ressentiment. Elle le connaît mieux que toi.

La main levée, Mardochée réclama le silence. Il souriait.

— Notre Lilah a plus d'un tour dans son sac. C'est bien imaginé. Une fois à Jérusalem, Ezra ne s'occupera plus de savoir avec qui elle se marie.

Axatria et Sarah s'observèrent, pensives.

Puis Sarah hocha la tête, peu convaincue.

— Que l'Éternel t'entende, soupira-t-elle.

La bouche d'Antinoès était douce et chaude. Lilah s'y perdait, s'y roulait, abandonnée et légère.

Les paumes d'Antinoès la soulevaient et l'emportaient dans des caresses où les écailles tranchantes des heures passées enfin disparaissaient.

Par ses baisers, elle-même le conduisait et l'accompagnait dans les houles du désir. Ils mêlèrent leurs murmures, à fleur de peau, souffle pour souffle. Lui était impatient alors qu'elle, d'étreinte en étreinte, étirait le temps, comme si cela pouvait n'avoir jamais de fin.

Enfin ils roulèrent côte à côte, reprenant leur respiration, chevelures emmêlées, hanches encore soudées. Les lèvres douloureuses et les mains incapables de cesser les caresses.

Des braseros chauffaient la chambre d'Antinoès, qu'une seule lampe à mèche d'huile éclairait.

Lilah écouta la pluie marteler les feuilles dans le jardin. Elle entendit une porte claquer et, au loin, les bribes d'une conversation, la voix d'une servante. Elle n'était pas accoutumée au bruit de la maison d'Antinoès.

Il murmura :

— L'autre jour, chez ton oncle, tu n'as pas dit la vérité. Parysatis refuse nos épousailles.

Un frisson parcourut Lilah comme si l'air du dehors avait pénétré dans la pièce. C'en était fini : la vérité des

149

jours revenait. Elle ferma les yeux comme si ce geste pouvait la protéger quelques instants de plus.

Antinoès ajouta :

— Elle m'a fait venir devant elle ce matin. Dans sa salle d'eau !

Devant ses paupières closes s'agitait le visage moqueur de Parysatis.

Lilah se tourna sur le côté, baisa la bouche de son amant, puis posa les doigts sur ses lèvres.

— Non, chuchota-t-elle, je n'ai pas dit la vérité. Mais pouvais-je te la dire ? J'avais encore trop honte. Ce regard qu'elle posait sur moi ! Pas seulement son regard. Elle me touchait ! Je portais une tunique qui me laissait presque nue devant elle. Et de l'entendre m'ordonner qui je dois aimer ! J'avais peur des lions, mais j'ai songé, au moins un instant, qu'il vaudrait mieux mourir par eux que subir les humiliations de Parysatis.

Lilah se tut et sourit. Antinoès voulut parler mais, d'une nouvelle pression sur ses lèvres, Lilah l'invita encore au silence.

— Puis l'idée m'est venue.

Elle se redressa, s'assit contre les hanches d'Antinoès comme l'on s'appuie à un mur. Elle caressa sa nuque, les muscles puissants de ses épaules. Elle souriait toujours, sans joie mais gravement.

— J'étais devant Parysatis, qui me disait : « Que vais-je faire de toi, ma fille, que puis-je faire d'une Juive ? » Elle me menaçait : « Je pourrais faire de toi ce que je veux. Ma servante. Ou de la nourriture pour mes lions. Ou ma soumise. Voilà quelque chose qui manque dans ce palais : une belle Juive soumise à nos caprices ! Je pourrais te donner à mes singes si l'envie m'en prenait. Il n'en est qu'un à qui je ne te donnerai

150

pas, ma fille, c'est celui que tu as choisi. Cet Antinoès qui te plaît tant ! »

Lilah essayait encore de sourire à travers ses larmes. Antinoès la serra contre lui, les bras noués autour de sa taille pour qu'elle cesse de trembler. Mais elle continuait de parler, poussant les mots comme si elle devait les exhumer d'un sol de pierre.

— Ce n'était pas seulement cruel et odieux. C'était injuste. Je ne l'écoutais plus. On ne peut pas écouter des choses pareilles. La haine nous ferme les oreilles. On devient sourd. Je songeais : « Quel est ce royaume où une reine folle peut décider de la vie et de la mort ? Elle souille l'air que l'on respire. Elle souille ce qui nous fait homme et femme. Elle couvre de purin l'amour des époux et des épouses ! Qu'y a-t-il de plus injuste que la puissance du fort quand elle n'a pas de frein ? »

Un tremblement l'obligea à serrer les dents. Antinoès se redressa, la prit contre lui, posa sa tête entre ses seins. Il entendait, entre les battements de son cœur, les mots vibrer dans sa poitrine.

Lilah respira un grand coup et reprit :

— C'est alors que j'ai songé à Ezra. Pas à lui, mais à ce qu'il répète depuis qu'il vit dans la ville basse : l'Éternel nous a donné des lois pour vivre hors de l'humiliation. Il a donné des lois pour que Son peuple vive dans le respect. Des lois pour que les fils et les filles d'Israël ne soient plus soumis aux affronts et aux caprices des faux dieux, des rois de Babylone et des pharaons. Mais nous ne suivons plus les décrets de Yhwh. Nous avons rompu notre serment, rompu l'Alliance qui nous protégeait de la folie des puissants, de leur oppression et de leurs idoles. Alors, aujourd'hui, la main de Yhwh n'est plus sur nous. C'est la main de Parysatis qui est sur nous.

Elle se tut, presque à bout de souffle. Ses ongles entraient dans la chair d'Antinoès. Doucement, il dit :

— Parysatis est folle, mais elle seule l'est. Les Juifs sont respectés dans les royaumes du Roi des rois. Vous êtes parmi nous comme n'importe quel autre peuple. Je suis un Perse et tu es dans mes bras.

Elle l'embrassa, le caressa. Non, non, ses mots n'étaient pas dirigés contre lui. Il n'y avait pas de plus grand amour que le leur. Mais il devait comprendre.

— Antinoès, la puissance de Parysatis n'a pas de limites. Elle corrompra tout. Tu es allé devant elle aujourd'hui. Ne me dis pas, ne me raconte pas ! J'imagine, et ce que je ne veux pas imaginer, je l'ai senti tout à l'heure au goût de ton premier baiser. Toi, un fils de puissant de Suse qui, demain, sera un de ceux devant qui les peuples de Perse, de tous les royaumes du Roi des rois s'inclineront, elle t'a humilié tout autant que moi. Je le sais.

Antinoès ne protesta pas.

— Alors, l'idée m'est venue, poursuivit Lilah. Ezra doit aller à Jérusalem pendant qu'il en est encore temps. Il doit aller y achever l'œuvre de Néhémie. Qu'il y ait de nouveau une terre où nul puissant ne nous humiliera. Il doit accomplir ce pour quoi il est né. Et nous, nous devons l'aider. Néhémie est parti avec la volonté et le soutien d'Artaxerxès le Premier. Ezra doit partir avec la volonté d'Artaxerxès le Nouveau.

— Comment ?

Il était tard, mais ils parlaient encore.

Les nuages filaient sous la lune. La pluie avait cessé, le vent s'était levé, froid et fort, sifflant entre les panneaux de bois des volets. Antinoès les avait recouverts d'une vaste peau d'ours du Zagros. Ils chuchotaient dans la pénombre comme ils avaient chuchoté tant de fois durant leur enfance. Cependant les mots n'étaient plus ceux de l'enfance.

Lilah disait :

— Tu crois qu'Ezra te déteste, mais non, il déteste seulement la vie que nous menons ici alors que Yhwh l'attend là-bas.

Elle disait encore :

— Toi seul peux apprendre aux échansons et aux eunuques de la table du roi ce que vaut Ezra et qu'ils seront des milliers à le suivre s'il prend la route de Jérusalem.

Antinoès répondait :

— Cela prendra des jours et des jours avant que le roi prête l'oreille à ma requête.

— Quelle importance ? Nous pouvons attendre.

— Crois-tu que Parysatis attendra, elle ?

Ils se taisaient alors, car ces mots glissaient dans leurs ventres telle une coulée de glace et ils n'osaient encore les affronter.

Pour les éloigner, Antinoès, sur un ton plus léger, en guerrier et héros du Roi des rois, poursuivait :

— Que le chaos cesse à Jérusalem, qu'on en relève les murs et en fasse une ville forte, il se peut que cela intéresse Artaxerxès. On raconte que Pharaon veut conquérir Jérusalem, car c'est, à l'Occident, le point le plus faible de nos frontières. Que Jérusalem s'effondre et devienne terre d'Égypte serait une aubaine pour les Grecs. Cela leur donnerait des côtes et des ports, à Tyr et à Sidon. Ils pourraient aussi bien y faire du commerce qu'y lancer des armées sur l'Euphrate. Oui... sans doute est-ce ainsi qu'il me faut présenter les choses. Il en est, parmi les généraux, qui seront heureux de l'entendre.

Tribaze m'écoutera, oui. Et lui saura mieux que moi convaincre la table du roi.

Lilah souriait dans la pénombre, cherchait la chaleur du corps de son amant pour s'y fondre et lui insuffler de sa force.

Mais il vint un moment où Antinoès murmura :

— Parysatis veut que je prenne une de ses nièces pour épouse. Elle n'en démordra pas, je le sais.

Après une hésitation, il ajouta :

— Elle prétend que tu as déjà accepté, devant elle, de rompre notre promesse.

Lilah eut un petit rire, sec et méprisant.

— Parysatis ne connaît rien de la réalité. Elle ne connaît que ses désirs.

— Elle te tuera si tu ne lui obéis pas. Elle t'humiliera plus qu'elle ne l'a fait déjà, et te tuera avec cruauté.

— Toi aussi, elle te tuera ?

— Sans hésiter. Sans que personne ne proteste dans l'Apadana. Même Tribaze, qui ne souhaite que mon bien. Parysatis le hait plus que les autres, si c'est possible, car il dirigeait l'armée qui a vaincu Cyrus le Jeune. La haine de Parysatis est plus forte que la confiance d'Artaxerxés. Cependant, il serait inutile qu'elle m'atteigne, moi. Elle te tuera et, comme elle dit : « Ainsi, Antinoès, tu n'auras plus de promesse à tenir. »

Ils écoutèrent le vent. Les rougeoiements des braseros dansaient sur les murs.

— Nous n'avons plus de promesse, chuchota Antinoès. Nous ne serons jamais des époux.

Lilah roula sur le côté et l'enlaça, l'enveloppant de tout son corps. Elle lui baisa le cou, le menton et les tempes. Elle le fit frissonner d'un nouveau désir, le tira des ombres où il laissait choir ses pensées et son orgueil. Elle fit danser, peau contre peau, leurs jeunes corps comme ils avaient appris à le faire tout au long de leur unique amour. Avec la même insouciance et la même liberté. Et, quand il fut à nouveau en elle, elle chuchota :

— Je n'ai qu'une parole, mon bien-aimé. Et je la tiendrai. Nous serons mari et femme.

— Lilah ! souffla Antinoès en tentant de retenir les vagues de ses hanches.

— Qui le saura ? Si tu en as le courage, qui le saura ? Pas même Ezra !

Le sourire de maître Baruch

Avec l'aide sourcilleuse de Lilah, Antinoès rédigea de sa belle écriture une tablette sollicitant une audience au Roi des rois. Le nom d'Ezra y était mentionné, ainsi que la raison de cette demande. Il y était question d'Artaxerxès le Premier, de Néhémie, de la paix et de l'ordre aux confins ouest des royaumes, toujours menacés par les appétits de l'Égypte et les mercenaires de la mer Supérieure.

Hélas, Antinoès avait dit vrai. Le chemin était long avant que la tablette, adressée à Tribaze, le chef des armées, ne passât entre les mains des scribes de l'Apadana. Là, elle devait être copiée en deux exemplaires, selon les écritures de la Citadelle, en langue perse comme dans celle de l'ancienne Assyrie, et selon les formules qui convenaient.

Ensuite, les tablettes seraient remises aux échansons du conseil des Mille qui, à son tour et en fonction de l'intensité de ses occupations, en jugerait le contenu avec le puissant chiliarque Tithraustès. Le chiliarque lui-même prendrait alors le temps de la sage réflexion. Une réflexion dont il confierait la teneur aux conseillers de la table du roi. Grâce à eux, une nouvelle requête, plus appropriée à l'objet de la demande, serait rédigée sur un papyrus royal : un immense rouleau d'écritures ne possédant ni début ni fin et que l'on appelle *Le Livre des jours*.

Enfin viendrait le temps où Artaxerxès le Nouveau, Roi des rois, se montrerait disponible pour les affaires de ses royaumes. Le scribe du *Livre des jours* lirait, Tithraustès prendrait la parole, le roi déciderait. Il ferait connaître sa volonté : ce qu'on devait écrire et ne pas écrire en réponse à la prière d'Ezra, fils de Seraya, fils d'Israël et de l'exil, vivant dans la ville basse de Suse.

À ce rythme, la première neige tomba bien avant que n'arrivât la réponse du roi, et l'attente aiguisa les nerfs de chacun.

Antinoès, plus que tout, craignait les espions de Parysatis. Après des baisers qui ne les réchauffèrent pas, Lilah décida qu'il serait plus sage qu'ils se privent l'un de l'autre tant que la réponse du roi ne serait pas connue. De surcroît, Antinoès devait éviter la maison de Mardochée.

— Ainsi, Parysatis a déjà réussi à nous séparer, soupira Antinoès alors qu'ils se disaient au revoir.

Lilah lui baisa une dernière fois les lèvres.

— Jamais ! Jamais, elle ne nous séparera. En outre, tu es moins loin de moi que lorsque tu pars à la guerre...

Les jours s'écoulèrent sans autres nouvelles.

Ezra, que la conviction de Lilah et peut-être les mots de maître Baruch avaient un temps ébranlé, fut le premier à se moquer :

— Ainsi, l'Éternel ne semble pas se soumettre à l'opinion de ma sœur ! grinça-t-il devant Lilah et Axatria venues apporter le couffin de fruits et d'orge. Artaxerxés ne m'interroge pas. Il a son dieu Ahura-Mazdâ qui, prétendument, le soutient en tout. Que lui importe les Juifs, Jérusalem et la Loi de Moïse ? J'avais raison de ne pas écouter tes rêves, ma sœur ! Mon étude auprès de maître Baruch me rapproche plus sûrement de la volonté de Yhwh que ton imagination.

— Tu es bien peu patient, Ezra, répliqua Lilah sans se laisser impressionner par la critique. Peu patient, peu confiant et peu prévoyant. Profite de ce temps pour réunir ceux qui t'accompagneront. Fais connaître ton espoir pour Jérusalem !

— Mon espoir pour Jérusalem ?

Le rire d'Ezra le secoua longtemps.

— Lilah, ceux qui veulent m'accompagner peuvent venir s'asseoir dans cette cour autant qu'ils le souhaitent. À la condition qu'ils respectent mon étude. Alors, leur voyage sera pareil au mien : il les conduira sûrement dans la Parole de Yhwh et l'Écriture de Moïse !

Lilah s'attendait à un soutien de la part de maître Baruch. Le vieux maître n'intervint ni dans un sens ni dans l'autre. Il semblait recroquevillé dans sa barbe, accablé par l'âge et sans doute la fatigue, incapable d'un de ces propos par lesquels il aimait surprendre et agacer.

Pourtant, lorsque Lilah s'inclina vers lui pour lui dire au revoir, il saisit son visage entre ses vieilles paumes si douces et lui sourit. Un grand sourire silencieux qui insufflait à ses prunelles une vie aussi vibrante qu'un rire. Il ne prononça pas un mot, continua seulement de sourire. Et ses paumes tenaient le visage de Lilah comme s'il le soulevait au-dessus des pesanteurs de la terre.

Elle comprit qu'il l'encourageait. D'une manière qui n'appartenait qu'à lui, mais qui la soulageait de bien des inquiétudes.

Lors de leur visite suivante, Ezra se moqua à nouveau de Lilah, avec une dureté où elle crut discerner l'acidité de la jalousie.

Au retour, elle décida de ne plus se rendre dans la ville basse tant qu'elle ne pourrait y porter la réponse du Roi des rois. Axatria roula des yeux terrifiés.

— Et si elle ne vient pas ? S'il n'y a pas de réponse ? Si...

— Pas de « si », Axatria ! Il y aura une réponse, et ce sera celle que nous attendons. Ezra ira devant Artaxerxès le Nouveau.

Axatria la regarda comme on regarde ceux que la raison quitte.

Le mois de tèvet arriva. Le froid tomba sur la région de Susiane d'un seul coup. La neige brouilla le ciel trois jours durant. Les flocons se déposèrent sur la maison de Mardochée, l'enveloppant de silence. Lilah paraissait tout aussi froide et blanche que la neige, comme si l'obstination de l'attente la vidait de son sang.

L'aube pointait lentement, silencieuse. Les tisserandes n'étaient pas encore à l'ouvrage, pas plus que les ouvriers de Mardochée. Comme chaque matin, debout face au jour, Lilah cherchait la force de ne pas céder à l'impatience. La voix de Sarah la fit tressaillir plus que la main qui se posa sur sa nuque.

Avant qu'elle ne pût prononcer un mot, sa tante se colla contre elle.

— Il fallait que je sois près de toi un moment. Je veux te dire que j'ai bien réfléchi. Tu as raison, pour Ezra. Je l'ai dit à Mardochée : Lilah a raison. Je ne sais pas si cela se fera, si le roi lui donnera audience et s'il prendra le chemin de Jérusalem. On verra. Mais tu as raison. Ezra est Ezra. La main de Yhwh est sur lui. On pouvait le penser depuis longtemps.

Elles s'enlacèrent avec un petit rire qui sonna comme une plainte.

— Tu ne dors pas beaucoup, remarqua gentiment Sarah en caressant la joue de sa nièce.

— Personne ne dort beaucoup ces dernières nuits, reconnut Lilah. Ni toi ni l'oncle Mardochée. Oh, ma pauvre tante ! Ezra et moi, nous vous aurons donné plus de soucis que de plaisir.

Sarah serra un peu plus fort sa taille.

— Des rêves, voilà ce que tu m'as donné, des rêves, Lilah. Et moi, je n'ai pas toujours été adroite.

Elle hésita. Pareil à un sanglot, un ricanement éclata sur ses lèvres.

— Sarah la bien nommée, voilà ce que je suis. Sarah au ventre sec ! Tout comme celle d'Abraham. Sauf que moi, les anges de l'Éternel ne viendront pas me visiter quand je serai vieille pour de bon !

— Ma tante !

Sarah posa ses doigts sur la bouche de Lilah pour la faire taire. Ses yeux brillaient, fiévreux. Sa voix basse s'éraillait à la dureté des mots qui franchissaient sa bouche.

— Tu ne peux pas savoir ce que c'est. La honte ! La honte de ne pas avoir donné d'enfant à Mardochée. La honte d'être tellement heureuse quand vous êtes arrivés dans cette maison. C'était terrible. Ta mère et ton père venaient de mourir et moi, parce qu'ils n'étaient plus, je vivais enfin ma vie de femme. Des enfants dans ma maison ! Oh, tu ne peux pas imaginer ! Mardochée aussi en a été transformé. Je suis devenue une vraie mère. À mes yeux, au moins. Même si tu m'appelles toujours ma tante, moi, j'ai longtemps voulu entendre « maman » ! Puis tu as grandi, et un autre rêve m'a comblée. Tu devenais femme, tu devenais belle. Tu devenais l'amante d'un bel homme. Ton ventre allait se gonfler comme le mien ne le ferait jamais. Je me réveillais la nuit en croyant entendre les cris et les pleurs de tes fils et de tes filles. Oui, c'était ma folie. Avoir des petits-enfants qui courent et braillent dans cette maison. Oublier les tapis, le tissage, les clients ! Pendant des années j'ai fait ce rêve : les enfants de Lilah viendraient bientôt se jeter dans mes bras. Si je n'avais pas été mère, je serais au moins grand-mère.

Elle se tut, parcourue de frissons. La gorge nouée, Lilah demeurait immobile. Sarah respira plus fort. Un sourire ironique étira ses lèvres.

— Parfois, j'ai songé aux enfants que pourrait avoir Ezra, mais ça n'a pas duré, je dois le reconnaître.

Lilah sourit à son tour. Enfin, des larmes franchirent les paupières de Sarah. Ses traits se brouillèrent. Elle ajouta très vite, dans un souffle, comme si elle craignait de ne pas parvenir à prononcer tous les mots :

— Maintenant, il faut que je m'habitue. Je ne verrai pas d'enfants courir dans cette maison, je ne serai pas réveillée par leurs cris. Je serai jusqu'à la fin de mes jours Sarah au ventre sec. Tu comprends ?

— Ma tante, murmura Lilah.

Sarah secoua la tête, obstinée et courageuse.

— Non, ne proteste pas. Je sais. Même si tu ne dis rien. Cette reine épouvantable, cette folle sans vergogne n'autorisera jamais tes épousailles avec Antinoès. Et toi, je te connais. Tu ne céderas pas non plus. Tu n'épouseras personne d'autre que lui. Tu ne seras l'amante d'aucun autre et tu seras comme moi : un ventre sec.

Sarah avait plongé ses yeux dans ceux de sa nièce. Peut-être y avait-il dans sa voix un mince filet d'espoir, le désir d'être contredite. Lilah ne trouva rien à répondre et baissa les paupières.

Sarah opina doucement, cherchant maintenant un réconfort dans des pensées qui avaient dû souvent rouler dans sa tête.

— Sans doute as-tu raison, chuchota-t-elle. Plus tard, peut-être changeras-tu d'avis. On ne sait jamais ce que l'Éternel veut de nous. Tu es si jeune ! Il n'y a pas longtemps, tu n'étais encore qu'une enfant.

Une porte claqua dans la cour, puis le silence revint. Elles se détachèrent l'une de l'autre, comme si leurs corps pesaient soudain trop lourd et s'étaient refermés sur leur tristesse.

– Peut-être pourrais-tu...

Sarah hésita. Ce qu'elle avait à dire était difficile, et elle n'osait plus regarder Lilah.

— Je sais que tu prends des herbes, souffla-t-elle enfin. Quand tu vois Antinoès. Tu pourrais être enceinte, alors il faudrait bien...

— Pour quel destin ? l'interrompit Lilah sans élever la voix. Avoir un enfant pour lui offrir une vie de honte ? Jamais Antinoès ne pourrait en faire son fils ou sa fille sans que la colère de Parysatis ne retombe sur l'enfant. Elle n'aurait de cesse de le détruire.

Sarah demeura sans répondre, le front plissé. Elles se turent.

Les bruits de la maison étaient plus nombreux. La voix de Mardochée résonna. Des appels de servantes lui répondirent. Bientôt, on entendrait les premiers claquements des métiers à tisser.

— C'est si cruel, gronda Sarah. S'il en est une qui ne le mérite pas, c'est bien toi.

— Personne ne mérite de subir la folie de Parysatis.

Sarah se tourna brusquement et agrippa les mains de Lilah.

— Ce que je voudrais savoir, c'est si tu vas le suivre ?

Son regard était intense, sa bouche durcie, comme si elle s'apprêtait à recevoir un coup.

— Si tu pars toi aussi à Jérusalem, Mardochée et moi, on se retrouvera seuls. Jamais il ne voudra quitter Suse.

Lilah secoua la tête.

— Oh, tante Sarah ! Je ne sais pas ! Je ne sais pas !

*
**

Quelques matins plus tard, Axatria revint de la ville
basse, le rouge aux joues.

Seule, comme les fois précédentes, elle était allée
porter le linge et la nourriture à Ezra et maître Baruch.
Elle avait trouvé Sogdiam en grande excitation, bien
qu'inconsolable de ne plus voir Lilah.

Depuis plusieurs jours, Zacharie et une vingtaine des
siens, frères, oncles et neveux venaient écouter la lecture
qu'Ezra leur faisait du grand rouleau des lois de Moïse.

— Sogdiam assure qu'à chaque fois que la lecture
s'achève, ce Zacharie et les siens se pressent autour
d'Ezra et lui demandent : « Quand nous conduiras-tu à
Jérusalem ! Que faisons-nous ici, à perdre notre
temps ? » Ezra, lui, perd patience à leur expliquer qu'ils
peuvent prendre la route de Jérusalem sans son aide. Il
leur dit : « Le chemin existe, vous n'avez qu'à le suivre ! » Il dit qu'il n'est pas Néhémie, que, lui, il ne peut
retourner à Jérusalem avant que son étude ne soit achevée et sans l'accord de la Citadelle... Enfin, toutes ces
choses que tu connais.

— Et maître Baruch, que dit-il ? interrogea Lilah.

— Ah, maître Baruch ! Justement...

Un éclat rusé aviva le regard d'Axatria.

— Maître Baruch, il paraît qu'il ne pipe mot pendant que les amis de Zacharie parlent avec Ezra. Pas
un mot et, même, pas un signe de vie. Mais regarde !

Amusée, elle tira de sa tunique un court rouleau de
papyrus.

— Alors que j'allais partir, il m'a demandé d'arran-
ger sa couche. Je venais de le faire un peu plus tôt,

mais, bon, les caprices de maître Baruch... Pendant que je gonflais ses coussins, il a glissé ça dans la manche de ma tunique. Ezra lisait dans son coin, il n'a rien vu. Maître Baruch m'a chuchoté : « Donne à Lilah, seulement à Lilah. »

Lilah avait déroulé le papyrus tandis qu'Axatria parlait. Quelques lignes y étaient tracées, d'une écriture si fine et d'une encre si translucide qu'elle dut sortir à la lumière du jour pour pouvoir les déchiffrer.

Ma colombe. Ne perds pas confiance. Ezra gronde, mais Ezra t'écoute autant qu'il écoute Yhwh. Ne crains rien. La main de Yhwh est sur toi. Ne doute pas. Songe à la mer que Yhwh a ouverte devant Moïse. Ne crains rien, ma colombe. Parle devant les plus hauts fronts pour te faire entendre, et tout ira bien.

— Qu'a-t-il écrit ? demanda Axatria, impatiente.

Elle dut répéter deux fois sa question avant que Lilah lui lise les phrases de maître Baruch.

Déçue, Axatria commenta avec indulgence :

— Ce n'est pas tellement utile, n'est-ce pas ? Il perd peut-être un peu la boule. Sogdiam raconte qu'il ne se lève plus guère de sa couche. Quand il m'a glissé ce rouleau, ses yeux riaient comme ceux d'un gamin. Ça arrive avec les très vieux. Ils redeviennent comme des enfants.

Lilah ne répondit pas.

Ce qui n'était pas écrit sous la plume de maître Baruch, elle, elle l'entendait comme s'il le lui chuchotait à l'oreille.

*
**

164

Cette fois, ce ne fut pas le troisième échanson qui vint chercher Lilah, mais un eunuque de la garde de Parysatis. Un manteau en peau d'ours recouvrait ses épaules et un grand turban rouge ses cheveux courts et ses joues imberbes.

Lilah fut conduite devant la reine mère dans la tenue qu'elle portait en quittant la maison de Mardochée. Pardessus une tunique de laine jaune, serrée à la taille d'une ceinture bleue, elle avait enfilé un grand voile de laine tissé de fils d'argent et brodé de soie vert et pourpre. Un peigne d'ivoire sculpté d'étoiles à cinq branches retenait ses cheveux. Des boucles d'ambre opalescentes pendaient à ses oreilles, semblables au long collier qui lui entourait deux fois le cou.

Elle marchait, très droite, le menton haut, la bouche ourlée et ferme. Elle n'était pas seulement belle. Il suffisait de la regarder pour deviner la dureté et la violence de sa volonté. Même les servantes et les eunuques le remarquèrent alors qu'ils la conduisaient à travers le labyrinthe des couloirs et des salles.

On ne la fit guère attendre.

La reine mère la reçut dans une chambre aussi ronde que l'intérieur d'une tente. Par dizaines, tapis et tentures en recouvraient le sol et les murs. Un grand feu brûlait dans un âtre de bronze occupant tout le centre de la pièce. La fumée était dirigée à travers le toit par un conduit de cuivre.

Allongée dans un lit suspendu aux poutres et recouvert de peaux de fauves, Parysatis jouait avec des chatons d'Égypte au pelage noir et aux yeux verts. Elle poussait de petits gloussements de joie en les agaçant de mille manières, leur lançait des insultes lorsqu'un coup de griffes déchirait la peau de ses poignets. Sa tunique blanche et fine, identique à celle que Lilah lui avait vu porter lors de sa précédente visite, était maculée de minuscules taches de sang. Elle ne sembla pas entendre l'annonce de l'eunuque lorsque Lilah franchit la portière de tapisserie.

Celle-ci avança à une dizaine de pas de Parysatis et se prosterna, les paupières closes.

Quand elle se releva, Parysatis l'observait. Une longue, une interminable observation, tandis que les chatons, énervés, cherchaient ses mains pour jouer, s'agrippaient à sa tunique, griffant ses cuisses et son ventre.

Un instant, leurs pas étouffés par les tapis, les servantes et les eunuques se déplacèrent dans la pièce, nourrissant le feu et les brûle-parfum. Puis ils disparurent. Il ne demeura que deux eunuques de la garde devant la portière. Lilah n'osait faire un mouvement malgré l'ankylose qui la gagnait.

Parysatis la détaillait encore, indifférente aux chatons qui s'étaient soudain lovés entre ses cuisses. Ses yeux étaient si fixes, ses prunelles si agrandies, que Lilah se demanda si elle n'avait pas absorbé une drogue.

Puis, sans crier gare, Parysatis rejeta les chatons à travers la pièce. Ils poussèrent des miaulements de fureur tandis que la reine se tournait sur le côté, cessant d'observer Lilah.

Elle tira une peau de léopard sur ses épaules et, sur un ton égal, déclara :

— Eh bien, je savais que tu ne manquais pas d'aplomb. Mais m'adresser une demande, à moi, Parysatis, voilà ce qu'on ne m'avait jamais infligé !

— Merci, ma reine, d'y répondre.

— Qui te dit que j'y réponds, petite Juive prétentieuse ?

Lilah se tut et baissa les paupières. Un peu de sueur perla sur sa nuque.

166

— Personne, jamais, ne demande rien à Parysatis.

— Oui, ma reine.

— Alors, pourquoi m'envoies-tu cette tablette, idiote ? Tu veux vraiment me mettre en colère ?

— Non, ma reine.

La peur, malgré son assurance, malgré les mots de maître Baruch, malgré sa détermination, la peur nouait de sa poigne de fer la poitrine de Lilah. Elle dut inspirer profondément pour retrouver son souffle.

Parysatis attrapa par la queue le plus téméraire des chatons qui grimpait à portée de sa main le long d'une peau de bête.

— J'attends, grogna-t-elle en même temps que miaulait le chaton.

— Ma reine, j'ai pensé que tu étais la seule à pouvoir m'aider.

Parysatis lança un cri, qui se transforma en rire.

— Moi, t'aider ? Es-tu folle ? T'aider ! Pourquoi t'aiderais-je ?

Le rire cessa comme il avait commencé. Il y eut un silence.

Parysatis caressa le chaton pressé entre ses seins. Elle se tourna doucement vers Lilah :

— T'aider en quoi ?

— Ma reine, mon frère Ezra veut s'incliner devant le Roi des rois pour lui demander l'autorisation de conduire à Jérusalem ceux de notre peuple qui vivent encore dans l'exil ici, à Suse et à Babylone.

De son index court, Parysatis obligeait le chaton à ouvrir grand la gueule. Il la mordilla, avec énergie d'abord, puis avec de plus en plus de fureur. Parysatis gloussa, l'attrapa par le cou et le fit disparaître contre sa hanche, sous la peau de léopard, hors de la vue de Lilah, vers qui elle leva un sourcil surpris.

— Pourquoi ? Ils ne sont pas bien chez nous ?

— Sion est la terre désignée aux premiers de notre peuple par Yhwh notre Dieu, ma reine. Aujourd'hui, Jérusalem, notre ville, est en ruine, car nous sommes ici au lieu d'être là-bas. Le chaos y règne et le délabrement s'accélère. Rien n'y est respecté, ni nos lois ni celles de notre Grand Roi Artaxerxès le Nouveau. Si la chute de Jérusalem n'est pas bonne pour nous, les Juifs, elle ne l'est pas non plus pour le Roi des rois. Bientôt, les Grecs et ceux d'Égypte pourront s'emparer de la ville. Cela affaiblirait toutes les bornes de l'ouest.

Le regard de Parysatis s'était fait plus aigu alors que Lilah s'expliquait.

— De la politique ! Voyez-vous ça ? Tu viens devant Parysatis avec la mine d'une reine et tu me parles de politique. De quoi te mêles-tu ? Ces choses ne sont pas l'affaire des femmes. Encore moins des fillettes comme toi.

— Ma reine, c'est pour cette raison que je voudrais voir mon frère Ezra s'incliner devant le Roi des rois.

Parysatis grogna en secouant la tête.

— Têtue et toujours avec une réponse à la bouche ! Pourquoi ton frère et pas un autre ?

— Parce que lui seul en est capable, ma reine. Lui et aucun autre.

— « Lui et aucun autre », se moqua Parysatis en singeant le ton de Lilah. Et, bien sûr, c'est toi qui en décides ! Un Juif de la ville basse, qui croupit au milieu de la boue et de la pauvreté en écoutant les jérémiades rancies d'un vieux qui devrait être mort depuis longtemps ! Et c'est lui qui doit être le guide des Juifs ?

Parysatis eut un rire aussi aigu qu'une crécelle. Lilah tressaillit, alors que des aiguilles par centaines se fichaient dans ses reins.

— Ah ! Tu vois, je te surprends. Parysatis sait plus

de choses que tu ne crois. Je sais tout, fille Lilah, je sais tout ! Ne l'oublie jamais.

La reine grogna encore, mais avec plus d'indifférence. Elle sembla songer à autre chose, son regard redevint lointain et elle laissa s'installer à nouveau un long silence avant de poursuivre. Lilah crut entendre quelques miaulements du chaton sous la peau de léopard tandis que les autres chats jouaient sans bruit sous la couche de la reine.

— Tu demandes, dit brusquement Parysatis, mais qu'offres-tu en échange ?

Lilah se tut, baissant le front.

Parysatis grommela, exaspérée :

— Voici ce que tu offres : ton frère part pour Jérusalem et toi, tu le suis.

Lilah ne releva pas le visage.

— Je veux entendre ta réponse, ma fille ! cria Parysatis.

— Oui, ma reine.

— Tu vas à Jérusalem et tu oublies Antinoès.

Dans les reins de Lilah, les aiguilles étaient devenues des crocs.

— Oui, ma reine.

— Plus de promesse, plus d'épousailles. Plus d'Antinoès entre tes cuisses. C'est compris ?

— Oui, ma reine.

Le rire roucoulant de Parysatis fusa dans l'air épais, sinueux comme un serpent.

— C'est cela que tu venais me dire, n'est-ce pas ? Que tu as peur de moi et que tu me supplies de te laisser partir loin de ton grand amour. Adieu la promesse, adieu la promesse ! Mais tu es trop fière pour l'admettre. Pas courageuse, en vérité, seulement fière. Une petite fille fière qui joue à la dame, voilà ce que tu es. Maintenant, tu peux me remercier.

Lilah releva le visage. Malgré sa honte, les larmes ruisselaient sur ses joues.

— Merci, ma reine, murmura-t-elle.

Parysatis sourit, les paupières plissées, la lèvre supérieure retroussée sur ses petites dents. Les plis tout autour de sa bouche se propageaient sur ses joues et la vieillissaient de dix ans.

Elle retira sa main droite demeurée sous la peau de léopard. Elle tenait toujours le chaton, qu'elle lança aux pieds de Lilah. Il y roula et demeura immobile. Il était mort, la nuque brisée.

— Si tu veux un conseil de Parysatis, fille Lilah, fais en sorte que je t'oublie.

*
**

Ses yeux étaient grands ouverts sur la nuit de la chambre. Les mots de Parysatis repassaient dans sa tête. Les miaulements et le corps mort du chaton, tout se mêlait, confus, effrayant.

Qu'avait dit la reine ? Qu'avait-elle dit elle-même ? Elle ne savait plus. Devait-elle comprendre que Parysatis allait l'aider ? Allait parler au Roi des rois, lui conseiller de faire venir Ezra devant lui ?

Comment savoir ?

S'était-elle seulement humiliée un peu plus, et cela en vain ?

Qu'avait-elle accepté ?

Ne plus voir Antinoès.

Ne plus aimer Antinoès. Ne plus l'embrasser ni le caresser.

Pour rien, peut-être.

Encore et encore les mots de la reine, toute la scène vrillaient ses pensées comme une toupie lancée à l'infini.

170

— Lilah...

Elle était si bien plongée dans son effroyable ressassement qu'elle n'entendit pas le chuchotement.

— Lilah !

Elle devina une ombre. Elle n'était plus seule dans la pièce.

— Lilah...

Le temps d'un éclair elle songea à Antinoès. Antinoès qui profitait de l'obscurité pour la rejoindre, malgré les espions de Parysatis.

Mais non. C'était un parfum de femme qu'elle sentait. Une voix qu'elle reconnaissait enfin.

— Axatria !

— Pas si fort, inutile de réveiller toute la maison !

— Que se passe-t-il ? Pourquoi montes-tu sans lumière ?

Axatria lui poussait un châle entre les mains. Lilah résista, prête à protester.

— Chut, ne fais pas de bruit... Sogdiam est en bas, chuchota Axatria.

— Sogdiam ? Que fait-il ?

— Il te l'expliquera lui-même. Dépêche-toi.

Axatria l'entraînait déjà vers la porte et les couloirs d'ombre.

Un instant plus tard, Lilah découvrait Sogdiam dans la cuisine, recroquevillé devant les dernières braises de l'âtre. Malgré la couverture dont Axatria l'avait recouvert, il claquait des dents, les mains serrées autour d'un gobelet brûlant de tisane.

Il voulut se lever à leur arrivée. Ses mauvaises jambes engourdies le portèrent à peine. Lilah et Axatria se précipitèrent pour qu'il ne tombe pas.

— Il errait dans la ville depuis la fin du jour, expliqua Axatria.

— Il fallait bien que je me cache avant d'arriver ici,

grogna Sogdiam en tirant la couverture sur sa tête. Sinon, les gardes m'auraient attrapé. Avec mes mauvaises jambes, aucune chance de passer inaperçu.

— Il est arrivé quelque chose à Ezra ? interrogea Lilah.

— Non, non, protesta Sogdiam. Ezra va bien. Je viens à cause de maître Baruch. C'est lui qui ne va pas bien.

— Qu'a-t-il ?

Axatria, d'autorité, ordonna :

— Laisse-le boire sa tisane, qu'il se réchauffe un peu, sinon il va prendre mal. Je vais lui chercher une tunique sèche. La sienne n'est qu'un glaçon.

*
**

— Au début, expliqua Sogdiam en reprenant vigueur, au début je ne me suis rendu compte de rien. Maître Baruch me faisait foule de compliments sur ma cuisine, il me demandait un peu plus de ceci, un peu plus de cela. Et moi, je donnais, tout content. Je pensais : « Tiens, maître Baruch a bon appétit et il aime drôlement mes plats ! » Je lui cuisinais des poissons, des boulettes au millet, des galettes d'orge fourrées de pigeons farcis, d'olives et de dattes... Oh, je t'assure, de la bonne cuisine ! Des recettes que j'ignorais, mais si bonnes qu'on apprend vite. Une recette pousse à en inventer une autre, puis une autre... Maître Baruch mangeait tout, il ne laissait rien. Et, si Ezra n'aimait pas ou s'il n'avait plus faim, lui, il mangeait encore ! Bien sûr que je trouvais ça étrange, mais tu sais comment est maître Baruch. Il n'y a pas plus bizarre caractère que lui. Un jour le rire, un autre jour sans desserrer les lèvres ou les paupières. Un jour grognon, un jour où il parle toute la journée. Il y a quatre nuits, je me suis réveillé en l'entendant gémir. Pour avoir mal, il avait mal. J'ai attendu qu'Ezra m'appelle pour l'aider à le soigner, lui bouillir des herbes, comme vous m'avez appris. Que non, ils ne m'ont rien demandé. Maître Baruch ne voulait pas. Je suis resté comme un idiot dans le noir à les entendre se disputer. Ezra disait : « Tu te rends malade, mon maître. Et je sais pourquoi. Tu vas contre la volonté de Yhwh. Je le sais. » Maître Baruch lui répondait entre deux gémissements : « Ne te vante pas, mon garçon. Tu ne sais rien du tout. À part ton orgueil, tu ne sais rien. Moi je suis vieux, et les vieux sont malades à en mourir, voilà tout. » Ezra protestait encore : « Tu ne peux pas te rendre malade comme tu le fais, mon maître, la Loi l'interdit. Sogdiam va te soigner ! » Et maître Baruch de lui rétorquer : « Reprends donc ton étude ! Tu perds du temps, Ezra. Tu ne devrais pas être là à interrompre ton sommeil pour t'occuper d'un vieillard. Il n'y a qu'un sot ignorant pour se livrer à pareille occupation ! » Bon... Ils se sont disputés comme ça pendant des heures... Le matin, quand je suis allé voir maître Baruch, il était épuisé. Pour dire la vérité, j'ai cru qu'il était mort. Ezra en était tout retourné. Incapable de faire son étude. Il a renvoyé Zacharie et les autres qui se présentaient dans la cour, comme presque chaque matin. Moi, j'ai quand même préparé une tisane pour le ventre de maître Baruch. Quand j'ai posé le gobelet à son côté, il s'est refusé à boire, et vous ne devinerez jamais ce qu'il m'a dit !

Les yeux de Sogdiam, brillants d'excitation, glissèrent de ceux de Lilah à ceux d'Axatria, pour revenir se fixer sur le visage de Lilah.

— Il a dit : « Sogdiam, mon garçon, si tu veux être un bon Juif, confectionne-moi un beau pain d'orge fourré avec des œufs de pigeon, de la semence de poisson, des abats d'un agneau tué selon la règle de Yhwh, des oignons, beaucoup d'ail et du lait caillé. » Voilà ce qu'il a dit. Après une nuit pareille !

— Et tu l'as fait ? demanda Axatria après un petit temps.

— Non. Pas possible. Comment trouver les abats d'un agneau tué selon la règle dans la ville basse ? Et, de toute façon, Ezra me l'a interdit. Il affirme que maître Baruch veut se faire mourir sans que la volonté de l'Éternel ne le réclame.

— Et alors ? demanda encore Axatria.

L'excitation quitta les yeux de Sogdiam. Il passa les doigts sur ses lèvres craquelées et s'adressa à Lilah :

— C'est pour cela que je suis ici. Maître Baruch a décidé qu'il ne boirait ni ne mangerait tant que je ne lui cuirais pas son pain d'orge fourré. Que dois-je faire ? Où trouver les abats ? Je ne pouvais pas rester dans la ville basse à me morfondre. Qui pouvait m'aider, sinon toi ? Mais la neige, avec mes jambes, ça facilite pas, surtout la nuit. Je me suis perdu. Ezra m'a indiqué où était la maison, mais comment la trouver dans le noir, avec toutes ces rues et toutes ces demeures que vous avez ici...

Lilah était sans voix. Elle attira Sogdiam contre elle, lui embrassant les tempes pendant qu'Axatria disait :

— C'est bien, garçon, c'est bien. Dès qu'il fera jour nous partirons avec le char. On te cachera sous une couverture. Des abats, il doit y en avoir dans cette maison. Au cas où maître Baruch les voudrait vraiment. S'il est une chose bien certaine, c'est qu'il ne doit pas mourir de faim.

*
**

174

Il y avait tant de monde dans la rue lorsqu'ils parvinrent chez Ezra que Sogdiam dut se faire reconnaître et donner de la voix pour qu'on leur cède le passage. Comment la nouvelle de l'agonie de maître Baruch s'était-elle répandue dans la ville basse ? Lilah l'ignorait. Il semblait que l'air lui-même en avait diffusé la rumeur.

Ils franchirent la porte. La cour de la maison, étrangement silencieuse, était, elle aussi, envahie de personnes. Lilah reconnut Zacharie. Elle courut jusqu'à la chambre d'étude.

Ezra, les yeux cernés par l'épuisement et la tristesse, se tenait sur son tabouret tout près de la couche de maître Baruch. Il se dressa quand elle entra dans la pièce. Il l'accueillit entre ses bras avec un soupir de soulagement. Avant qu'elle posât une question, il chuchota :

— Il respire encore.

Lilah s'agenouilla devant la couche du vieux maître. Les yeux clos, les traits paisibles, son visage reposait, enfin en paix, dans la douceur abondante de la barbe et de la chevelure. Lilah demeura un instant sans pouvoir faire un mouvement. La tendresse, la crainte et la tristesse l'engourdissaient. Elle fixa les lèvres et les narines du vieillard : elles étaient livides, sans le moindre signe de vie. Avec timidité, elle effleura son front. Il était à peine tiède. Ses joues n'étaient guère plus chaudes. Elle songea qu'il était trop tard. Ezra se trompait : maître Baruch ne respirait plus.

Sans qu'elle s'en rende compte, une plainte passa ses lèvres. Elle releva le visage vers Ezra. Sans un mot il secoua la tête et s'inclina, s'agenouillant près d'elle. Avec délicatesse, il plaça devant les narines de maître Baruch une fine plaque d'argent.

La mince buée d'un souffle le voila.

Sur le seuil, Sogdiam et Axatria avaient scruté leurs gestes. D'une voix à peine audible, Sogdiam demanda :

— Il respire encore ?

Lilah opina.

— En ce cas, ce n'est pas le moment de perdre notre temps, fit Axatria à mi-voix. Viens dans la cuisine.

Elle entraîna le garçon par la manche. Lilah entendit Sogdiam qui protestait :

— Pour quoi faire ?

— Son pain d'orge fourré.

— Tu es folle ! Il n'en mangera plus, dans l'état où il est.

— Qu'en sais-tu ? Il est vivant, il t'a demandé un pain d'orge, c'est tout ce qui compte. Viens, dépêche-toi d'allumer le feu dans le four.

Axatria avait raison. Elle prononçait exactement les paroles qu'aurait souhaité entendre maître Baruch. Lilah aurait voulu sourire.

Elle n'en eut pas la force. Elle s'assit sur le rebord de la couche. Ses épaules se mirent à tressauter sous la vague de sanglots qui l'envahissait. Ezra l'enlaça et l'attira à lui. Elle chercha ses mains, noua ses doigts aux siens. Elle mordit sa lèvre pour l'empêcher de trembler trop fort. Pour la première fois depuis des années, Lilah vit des larmes briller sur les cernes rougis d'Ezra.

Elle s'abandonna un peu plus contre lui. Leurs tempes se joignirent. Malgré leurs vêtements, Lilah sentait la chaleur de son corps. Elle avait presque oublié qu'Ezra avait un corps aussi jeune que le sien. Il y avait si longtemps...

Frère et sœur. Lilah et Ezra !

Il y avait si longtemps !

*
**

C'est un peu avant le crépuscule que maître Baruch se réveilla.

Ses paupières se soulevèrent d'un coup et son regard fut là, bien vif et bien vivant. Aussitôt reconnaissant les visages penchés sur lui. Et souriant.

— Ma colombe, chuchota-t-il. Je savais que tu viendrais.

Lilah et Ezra se détachèrent l'un de l'autre.

— Sogdiam est venu me prévenir, maître Baruch.

— Un bon garçon, un bon garçon.

Ses paupières se refermèrent. Lilah crut qu'il était à nouveau endormi. Mais les doigts de sa main droite s'agitèrent doucement.

— L'un et l'autre, chuchota-t-il d'une voix à peine audible et sans rouvrir les yeux.

Lilah et Ezra ne comprirent pas immédiatement. Les vieux doigts s'agitèrent plus nerveusement. Enfin Ezra plaça sa main dans la main droite de maître Baruch et Lilah saisit l'autre. Un petit sourire joua sur les lèvres du vieux maître.

Ils demeurèrent un long moment ainsi.

Le murmure des voix bourdonnait dans la cour. De la cuisine, où Axatria et Sogdiam avaient accompli un miracle, provenait un fumet délicieux.

À nouveau les yeux de maître Baruch furent grands ouverts, limpides de clarté. Ils se posèrent sur Lilah.

— Cela se fera, souffla-t-il. Tu as fait ce qu'il fallait, je le sais. Ne doute pas. Yhwh le veut.

Les yeux de Lilah se brouillèrent. Pour la première fois depuis qu'elle avait quitté Parysatis, la peau de honte gluante qui l'avait recouverte devant la reine mère se dissolvait. Oui, comme si les simples mots de maître Baruch la purifiaient.

Maintenant il regardait Ezra et disait :

— Chaque chose a une fin, Ezra.

— Mon maître...

— Écoute-moi. Chaque chose, un début et une fin.

Il prit le temps de respirer, de recouvrer un peu de force.

— Souviens-toi des mots d'Isaïe : « *Comme à l'aube, tu renaîtras, tu repousseras vite, devant toi marchera ta justice... et Yhwh fermera de tout Son poids la marche !* »

Il se tut encore. L'effort était grand. Toute sa volonté demeurait dans ses yeux.

— Un temps pour l'étude et un temps pour redresser les murs de Jérusalem, murmura-t-il. Un temps pour que Baruch ben Neriah remercie Yhwh.

Ezra voulut parler, mais les paupières se refermèrent. Lilah crut que c'en était fini. Pourtant, après un instant de parfait silence, les doigts de maître Baruch serrèrent les siens.

— Je sens le pain d'orge, le pain d'orge fourré ! Quel délice...

Lilah chercha le regard d'Ezra. Il opina et dit :

— Sogdiam vient d'en cuire un pour vous, mon maître.

Les paupières et les lèvres de maître Baruch frémirent.

— Fais-le venir, fais-le venir.

Ezra courut chercher Sogdiam et Axatria. On présenta le pain tout près du visage de maître Baruch. Si vieux qu'il fût, le sourire qui éclaira ses traits était léger et lumineux, comme celui d'un jeune homme gourmand de vie et gonflé d'espérance.

L'instant d'après, il ne respirait plus.

Toute la nuit, des chandelles brûlèrent dans la maison. Sans que personne ne le décide, on trouva du suif, des bouts de mèche et ce qu'il fallait d'huile. Avant que les nuages s'ouvrent sur les étoiles, la cour et les rues attenantes à la maison d'Ezra furent à leur tour illuminées de centaines de lumignons.

Zacharie et les siens chantèrent. Ezra lut une parole du rouleau d'Isaïe que maître Baruch connaissait par cœur :

Riez avec Jérusalem, dansez, vous qui l'aimez,
réjouissez-vous avec elle, vous qui portiez son deuil
vous téterez à volonté le sein de ses consolations
vous boirez avec délice à sa lourde mamelle...

Au matin, le ciel de Suse était couvert de brume. Elle blanchissait le soleil et rendait le sol de neige éblouissant. Lorsque le disque blanc du soleil parvint au zénith, qui, en cette saison, se situait à l'aplomb de la Citadelle, ils arrivèrent.

Sans char, à pied, mais en armes. Une dizaine de soldats aux casques de feutre et capes de fourrure, javelots aux poings. Ils fendirent la foule silencieuse. Parvenu au seuil de la maison, leur officier demanda qui se nommait Ezra, fils de Seraya.

Quand Ezra fut devant eux, l'officier lui tendit une tablette de cire en déclarant :

— Par ordre de notre roi, Artaxerxès le Nouveau, Roi des rois, roi des peuples d'est en ouest par la volonté d'Ahura-Mazdâ, le grand dieu. Ces mots t'ordonnent, Ezra, fils de Seraya : dans le jour d'après demain tu iras devant la statue de Darius le père, au pied de l'escalier sud de l'Apadana. Tu présenteras cette tablette avant le milieu du jour et on te conduira. Cela est la volonté d'Artaxerxès le Grand Roi.

Les soldats s'en retournèrent comme ils étaient venus, en rangs raides et serrés entre la foule béante.

L'ébahissement plongea les visiteurs dans le silence. Chacun se répétait les mots de l'officier sans parvenir à en comprendre tout le sens.

Ezra tenait la tablette entre ses doigts, incrédule, le visage inquiet comme si la cire recelait un sortilège ou un animal venimeux.

Lilah sentit ses jambes trembler. Si Axatria n'avait été derrière elle, elle se serait effondrée.

Ainsi, le roi convoquait Ezra !

Ainsi, Parysatis avait parlé.

Ainsi, maître Baruch avait vu juste.

Zacharie, le premier, s'écria :

— Loué soit Yhwh ! Loué soit l'Éternel !

Le cri rejaillit ici et là, se répandit dans la cour alors que les mains se levaient vers le ciel pour claquer des doigts et applaudir. Les turbans et les bonnets s'agitèrent. Ce qui avait été deuil et larmes se transforma en un instant en cris de fête et de si grande joie que les habitants de la ville basse en furent interloqués, et même choqués.

Avant le soir, Sogdiam dut cent fois expliquer la raison des rires et que c'était là, peut-être, le miracle de la mort de maître Baruch et l'explication du si beau sourire avec lequel il avait savouré l'ultime instant de sa vie terrestre.

Mais, alors qu'on allait porter en terre le corps du vieux sage, Ezra se dressa d'un coup. Il observa fixement Zacharie et Lilah.

— C'est impossible.

Il alla chercher la tablette de cire venue de la Citadelle, rédigée avec toute la science des scribes de l'Apadana, et l'agita au-dessus de sa tête en répétant :

— C'est impossible ! Je ne peux pas me présenter devant le roi.

La stupeur figea tous ceux qui entendirent ces mots. On se les répéta comme on s'était répété la bonne nouvelle un peu plus tôt. Et, cette fois, un curieux silence se glissa au-delà de la cour, serpenta dans la rue.

Zacharie finit par demander d'une voix chancelante :

— Pourquoi est-ce impossible ?

— Celui qui est devant le roi doit se prosterner. Il doit plier les genoux et même souffler un baiser sur sa paume en direction d'Artaxerxès.

— Oui, fit Zacharie en fronçant le sourcil. On le sait.

— Celui qui ne se prosterne pas, poursuivit Ezra en agitant la tablette, les eunuques l'empoignent, et l'audience est annulée.

— Que l'Éternel te protège ! déclara Zacharie en roulant des yeux. Tu te prosterneras et tout se passera bien.

Ezra poussa un grondement de colère et se mit à marcher de long en large devant les visages ahuris qui l'observaient.

— Comment celui qui doit conduire ceux de Yhwh vers leur terre pourrait-il se prosterner ? cria-t-il en regardant Lilah.

Mais c'est encore Zacharie qui répliqua, se portant au-devant d'Ezra pour tenter de le calmer :

— Allons ! Quel mal y a-t-il à s'incliner devant le Roi des rois ? C'est la règle. Même les plus puissants, même les ambassadeurs des Grecs l'ont fait. Il n'y a rien de honteux à cela.

— Zacharie ! gronda Ezra.

Dans sa fureur, sa main lâcha la tablette. Elle vola un instant entre terre et ciel tandis qu'un cri d'effroi jaillissait de toutes les poitrines. D'un bond étrange, Sogdiam se déhancha. Ses mauvais membres le firent tourner sur lui-même, mais ses mains rattrapèrent la tablette avant qu'elle n'atteignît le sol et ne s'y brisât.

Sogdiam tomba lourdement sur le dos, mais le soulagement dissipa sa grimace de douleur.

Ezra lui accorda à peine un regard. Il pointa le doigt sur la poitrine de Zacharie, puis sur ceux qui l'entouraient.

— Ce qui n'est pas honteux pour les Gentils l'est pour nous !

Sa voix s'enfla, il écarta les bras.

— Voilà, c'est ainsi que cela commence ! Vous voulez que je vous conduise à Jérusalem. Vous voulez aller porter les pierres pour redresser les murs du Temple. Vous voulez être les mains qui le purifieront, qui en ouvriront les portes, et vous ignorez même le sens d'une prosternation ! Artaxerxès va main dans la main avec son dieu Ahura-Mazdâ comme s'il était le maître de l'univers ! Il réclame que l'on se prosterne devant lui comme s'il était un dieu de la terre et du ciel !

La voix d'Ezra était moins furieuse. Elle vibrait de peine plus que de rage.

— Zacharie ! Et vous tous, fils de Lévi, fils de Jacob, fils des kohanim et du premier d'entre eux, Aaron, frère de Moïse ! Vous qui devez la porter en vous comme le sang porte vos pas, avez-vous à ce point oublié la parole de Yhwh ? « *Tu ne t'inclineras devant aucune idole. Tu ne te prosterneras devant aucun faux dieu, devant aucun vivant qui se prétend un dieu !* »

La voix vibrante se tut.

Les fronts se baissèrent.

Lilah, qui s'était accroupie pour soutenir Sogdiam, sentit le froid l'envahir. Ainsi, tant d'efforts avaient été accomplis pour rien ? Elle espéra un instant que la voix de maître Baruch allait s'élever et suggérer à Ezra une solution. Mais la bouche de maître Baruch était désormais close.

— Il est une chose que tu peux faire, fit la voix inattendue d'Axatria.

Tous les regards se tournèrent vers elle, qui fixait Ezra avec un sourire timide.

— Si le roi n'est pas un dieu, il ne sait pas comment séparer le vrai du faux.

Interloqué, Ezra leva les sourcils.

— Que veux-tu dire ?

— Que tu peux avoir l'air de te prosterner sans pour autant le faire. Regarde.

Elle avança d'un pas et, dans un mouvement gracieux dont il était impossible de deviner l'origine, elle s'inclina tandis que le fin anneau qui ornait son poignet glissait. Elle plia profondément le buste pour le ramasser dans la neige fondue de la cour et enfin se redressa, soufflant à pleines lèvres sur sa paume gelée ce qui pouvait bien être un baiser de grande tendresse.

Il y eut un silence. Sogdiam éclata de rire. D'autres gloussements fusèrent et, alors qu'Ezra rougissait jusqu'à la racine des cheveux, la cour entière se mit à rire.

Axatria, tout aussi écarlate qu'Ezra et les yeux tout brillants, murmura :

— Yhwh saura que tu n'as rien accompli d'interdit. Mais Artaxerxès lui, l'ignorera, puisqu'il n'est qu'un homme.

Lilah vit la main d'Ezra se tendre vers celle d'Axatria. Maintenant, il riait lui aussi de bon cœur. Elle ferma les paupières et crut discerner le sourire de maître Baruch.

Le Livre des jours

Avant de pousser la porte ferrée de la tour, Lilah s'immobilisa en retenant son souffle. Il n'y avait autour d'elle que l'immense silence de la ville. Il faisait trop froid, la nuit était trop obscure pour que les espions de Parysatis s'obstinent à s'y risquer.

La rue était vide. Pas même un chien errant.

Elle referma sans bruit, traversa le rez-de-chaussée et se glissa dans le jardin. La semelle de ses bottines fourrées crissa dans la neige. Elle s'avança à pas rapides, les mains en avant pour se protéger. Elle frôlait les troncs, les buissons. L'obscurité était si dense qu'elle buta contre le mur de la maison en l'atteignant, s'écorchant les doigts aux arêtes glacées des briques.

Il lui fallut contourner les colonnes de l'entrée. Lorsqu'elle frappa doucement au volet, elle était transie jusqu'aux os.

Il ne mit guère de temps à demander :

— Qui est là ?

— Lilah.

Ce furent leurs seuls mots avant longtemps.

Il la dénuda près des braseros. Il brûla chaque parcelle de sa chair de son haleine, lui fit l'amour avec une lenteur douloureuse et violente.

Plus tard, alors qu'elle était endormie, les fins cheveux de ses tempes collés par la sueur, il recommença ses caresses. Il la prit avec la douceur d'un songe. Elle s'éveilla à peine, respirant dans ses baisers.

Dehors, la nuit de Suse demeurait gorgée de silence et de froid. La neige tombait à nouveau.

Quand Lilah roula une nouvelle fois sur la poitrine d'Antinoès, le plaisir n'empêcha pas ses larmes de couler. Cependant, ces larmes étaient une pluie douce et réconfortante pour ses yeux. Chaque caresse d'Antinoès l'avait lavée, apaisée.

Elle s'agrippa à sa nuque. Il la tint enlacée, enchâssée contre lui. Un instant, très bref mais d'une grande force, ils furent aussi indestructibles que la nuit et les étoiles.

Avant le matin, Antinoès la réveilla encore afin qu'elle profitât de l'ombre pour quitter la maison. Il lui avait préparé un manteau de fourrure doublé de soie.

Elle aurait voulu lui dire que rien, de son cœur ou de sa volonté, n'avait changé. Qu'il était déjà, et pour l'éternité, son époux, que les menaces de Parysatis ne l'effrayaient pas. Mais Antinoès chuchota contre son oreille :

— Je serai avec Ezra dans l'Apadana.

Il posa encore une fois ses lèvres sur les siennes.

— Sois sans crainte. Tout ira bien.

Non, elle n'éprouvait plus aucune peur.

Ezra se présenta à la porte de Darius un peu après le lever du soleil.

Il était vêtu d'une tunique neuve, à longs pans pourpre et bleu, qui lui recouvrait les pieds. Elle lui avait été offerte la veille par Zacharie et ceux qui occupaient sa cour depuis des jours. Leurs épouses en avaient coloré et tissé la laine avec une si grande habileté qu'elle possédait la souplesse et le brillant d'une soie d'Orient. Un bonnet de feutre rigide lui ceignait le front. Elles y avaient brodé, en laine bleue parcourue d'un fil d'argent, le chandelier à sept branches décrit par Yhwh à Moïse.

Attaché à son cou par une solide lanière, un étui de cuir cylindrique pendait sur sa poitrine. À l'intérieur, Ezra y avait glissé le précieux rouleau des Écritures de Moïse, que les pères de son père lui avaient transmis par-delà les siècles.

En compagnie de Zacharie et d'une poignée de compagnons, il grimpa la longue rampe d'escalier. S'élevant depuis la ville royale, elle longeait le mur énorme de la Citadelle sur un stade de longueur. Des images y surgissaient dans le relief des briques aux couleurs chatoyantes. Elles racontaient les batailles de Darius, le premier et le plus grand des Rois des rois, tracées avec une telle vérité que l'on aurait pu y reconnaître les visages de chacun des combattants.

Au-dessus et au-dessous, sur cinquante coudées de hauteur, d'autres bandes d'images montraient les fauves, les monstres fabuleux et les hommes des peuples que Darius avait conquis et qui, aujourd'hui encore, payaient tribu à Artaxerxès le Nouveau.

La porte de Darius se dressait au sommet de cet escalier. Nul, pas même le roi, ne pouvait arriver sur la place de l'Apadana, puis dans la Citadelle, sans la franchir.

Les ventaux en étaient si massifs qu'il fallait un train de quatre mules attelées au chaînage d'un treuil pour les mouvoir. Deux tours, hautes de cent coudées et larges d'autant, crénelées à leurs sommets, l'encadraient, ainsi que le mur de défense qui les soutenait. Les briques des tours étaient colorées de bleu clair et de jaune. Les ailes protectrices d'Ahura-Mazdâ, d'or et de bronze, s'y déployaient sur vingt-sept coudées de large. On racontait qu'elles reflétaient si bien le soleil qu'elles pouvaient, à certaines heures du jour, calciner les yeux de ceux qui les fixaient trop longtemps.

De part et d'autre des battants de bronze et de cèdre, deux statues de Darius, parfaitement identiques, se faisaient face. Deux présences colossales, de cinq fois la taille d'un homme ordinaire. Des cheveux véritables, prélevés sur des centaines de milliers de têtes, avaient été nécessaires pour confectionner leurs perruques et leurs barbes. Les colliers et les bracelets étaient d'or véritable, du diamètre d'une roue de char et coulés avec le butin des batailles menées en Hyrcanie et contre les Parthes. Les sculpteurs d'Égypte qui avaient réalisé les colossales statues avaient utilisé des pierres précieuses pour les yeux. À l'aube et au crépuscule, les rayons du soleil y produisaient un rai bleu et pourpre qui interdisait le passage à tout être vivant et purifiait l'entrée de l'Apadana.

Chaque matin, par trois fois, des trompes sonnaient et la porte s'entrouvrait. Les courtisans de la ville royale, les puissants de Suse-la-Citadelle se pressaient alors pour la franchir et se prosterner devant les statues d'Artaxerxès le Nouveau dressées sur l'Apadana. Ils présentaient aux gardes un disque de bronze et d'or à l'effigie du Roi des rois. De la taille d'une paume, cette médaille les désignait de père en fils. S'ils la perdaient, elle n'était jamais remplacée. S'ils commettaient une faute, elle était détruite, leur famille et leur descendance à jamais bannies de l'Apadana.

Des étrangers venus de toutes les parties du monde, appartenant aux peuples du Roi des rois comme à des peuples barbares ou inconnus, se mêlaient à cette foule. On y distinguait toutes sortes de visages, de couleurs d'yeux ou de peaux, ainsi que les vêtements les plus étranges. On y entendait les plus déconcertants langages. Cependant, bien peu nombreux, parmi ceux-là, étaient autorisés à passer entre les regards stupéfiants des immenses statues de Darius.

Pour franchir la porte et pénétrer dans l'ombre glacée des tours, ces étrangers devaient présenter la tablette de cire rédigée par les scribes de l'Apadana et qui leur ordonnait de s'y présenter.

Lorsque Ezra montra la sienne, un garde l'examina avec soin avant de la remettre à des scribes qui, à leur tour, l'étudièrent attentivement. On approuva son passage, mais, malgré ses protestations, Zacharie et ses compagnons furent repoussés sans ménagement. À peine eurent-ils le temps de lancer des encouragements avant de disparaître dans la foule que les gardes contenaient de leurs lances.

Ezra fut dirigé vers une étroite galerie, où on le fouilla. Avec un soin mortifiant, des gardes s'assurèrent qu'il ne dissimulait aucune arme, aucune fiole, aucune pommade. À sa grande terreur, et malgré sa violente opposition, ils tirèrent le rouleau de Moïse de son étui de cuir. Le papyrus fut déroulé sur toute sa longueur.

Sous le regard furieux d'Ezra, deux jeunes eunuques glissèrent la pointe de leur index le long de la bande calligraphiée. Après quoi, ils offrirent leurs doigts à la langue d'un chiot tenu en cage. Le temps de s'assurer que l'animal ne montrait aucun signe d'empoisonnement, Ezra put enfin quitter la porte de Darius. Ébloui par la lumière du jour, il pénétra dans un monde que bien peu d'hommes avaient pu contempler de leurs propres yeux.

Là, tout était à ce point surdimensionné qu'Ezra eut brièvement l'impression d'avoir été réduit en un clin d'œil à la taille d'un enfant. Sur la gauche, au-delà des parapets, les méandres minuscules de la Chaour chatoyaient dans les champs enneigés tel un fil serpentant sur les motifs d'un tapis. À droite, les maisons de Suse-la-Ville n'étaient que cubes enfantins, les jardins des bandes sombres où le vert perçait çà et là sous la neige. Le ciel était si pur, si proche, qu'il semblait qu'en levant la main on pourrait en effleurer les nuages.

Devant lui s'étendait la cour de l'Apadana. Le sol était de marbre, à perte de vue, jusqu'aux murs du palais lui-même, lisses, sans une seule ouverture, aussi parfaits qu'une falaise de brique. Chaque dalle était si bien jointée qu'une arête de poisson n'aurait pu s'y incruster.

Partout se dressaient des statues. Celles d'Artaxerxès le Nouveau faisaient face aux effigies d'Ahura-Mazdâ, avec sa tête barbue et ses ailes d'aigle. Alentour s'alignaient des lions de granit, des serpents d'acier et d'argent. Le porphyre de la nudité sensuelle de la déesse Anâhita défiait les chevaux et les taureaux furieux du dieu Mithra, dont la pierre était recouverte de cuir et de fourrures dorées. Des offrandes brûlaient dans des coupes de bronze. Nombreux étaient ceux qui s'inclinaient devant elles, chantaient ou criaient des louanges. Certains étaient allongés sur les dalles glacées, d'autres dansaient en offrant leur poitrine au froid. D'autres encore se tenaient simplement immobiles, pliés en deux comme si le gel les avait pétrifiés.

Quantité de gardes déambulaient, vêtus de tuniques vert et jaune, aux manches et aux cols brodés de pierres et d'anneaux d'or. D'une taille supérieure à celle des hommes ordinaires, ils étaient encore grandis par le bonnet torsadé qui enserrait leurs chevelures bouclées et se nouait dans leurs barbes huilées. De leurs baudriers de cuir et d'argent sortait la poignée d'ivoire d'une dague courbe. Ils portaient des javelots où pendaient des globes d'argent ou d'or, selon leur rang.

Deux d'entre eux vinrent droit sur Ezra et lui réclamèrent sa tablette. Puis, sans commentaire, ils le conduisirent à l'autre bout de l'Apadana. Là, douze colonnes recouvertes d'épaisses feuilles d'or soutenaient un toit. Ces colonnes, que l'on voyait de partout, et même depuis la ville basse, étaient si imposantes qu'il avait fallu deux mille bras pour les transporter et les dresser.

L'étui de cuir du rouleau de Moïse serré contre son ventre, Ezra pressa le pas derrière les gardes. Ils pénétrèrent dans l'espace couvert où régnait une grande activité. Parmi une foule de scribes et d'aides, allaient et venaient les puissants qui gouvernaient les royaumes au nom du roi. Les gardes ne s'attardèrent pas. Ils dirigèrent Ezra vers l'une des nombreuses portes ouvrant dans le palais, puis à travers le labyrinthe des couloirs et des cours.

Lorsqu'ils s'écartèrent devant lui et s'immobilisèrent, ils se trouvaient au seuil d'une vaste salle au sol recouvert de tapis. Un voile la divisait en son centre. La lumière était intense sur la partie visible, où étaient disposés des tables et des coussins. Derrière le voile régnait une pénombre apaisante.

Une foule de serviteurs s'agitaient entre les tables basses et les sièges, où étaient assis, fastueusement vêtus, ceux à qui Artaxerxès le Nouveau, pour ce jour, avait accordé la gloire d'être présents.

Des visages se tournèrent vers Ezra, curieux et perplexes. Le léger murmure des conversations s'amoindrit un instant. Un homme se dressa et lui fit signe d'approcher. Ezra reconnut Antinoès, malgré le luxe de sa tenue et le bonnet rond qui couvrait sa chevelure.

Comme il demeurait figé de surprise, Antinoès s'avança en lui tendant la main.

— Viens t'asseoir avec moi, dit-il en guise de salut. Le roi n'est pas encore là et le repas n'a pas commencé.

Ezra hésita avant de répliquer d'une voix dure :

— Je ne suis pas venu ici pour manger.

Antinoès sourit.

— Sans doute pas, admit-il. Mais le roi, lui, ne te recevra pas avant d'avoir pris son repas.

Il expliqua que les audiences se déroulaient ainsi. Le roi mangeait seul ou en compagnie du grand chiliarque et de quelques concubines. Ensuite, et selon son désir, il faisait venir devant lui certains parmi ceux dont l'audience avait été inscrite par les scribes au *Livre des jours*.

Antinoès montra le rideau et ajouta :

— D'ici là, tu ne le verras pas. Il se tient dans l'autre partie de la pièce, à l'abri de ce voile. L'agencement de la lumière et le tissage sont faits de telle sorte qu'Artaxerxès nous voit distinctement, tandis qu'il nous est impossible de le discerner et même de savoir où il a placé son siège. Cela change à chaque repas.

— Es-tu en train de m'apprendre qu'il n'est pas certain qu'Artaxerxès me reçoive ? demanda Ezra sans adoucir son ton.

Antinoès désigna d'un regard les dizaines de courtisans qui les entouraient.

— Presque chacun de ceux qui sont ici a reçu, comme toi, une tablette pour l'audience. Comme tu le constates, ils sont presque une centaine. Il n'y en aura pas dix qui seront appelés par notre roi.

Les yeux d'Ezra s'agrandirent d'étonnement avant que la colère ne fît trembler ses lèvres. Antinoès posa une main paisible sur son poignet.

— Ne t'inquiète pas. Toi, tu seras reçu.

— Pourquoi en es-tu si certain ?

Sans répondre, Antinoès sourit à nouveau. Un sourire affectueux et triste qui surprit autant Ezra que le contact de sa main sur son poignet.

— Viens, répéta Antinoès. Il est inutile de demeurer debout. Quand tu entres dans cette salle, la plus grande des vertus est la patience !

*
**

Ezra se laissa entraîner de mauvaise grâce. Dès qu'ils furent assis, des eunuques déposèrent boissons et plats sur le grand plateau devant eux. Avant de s'écarter, ils goûtèrent avec indifférence chacun des gobelets afin de bien montrer qu'ils ne contenaient aucun poison.

Son étonnement passé, Ezra demanda à nouveau :

— Pourquoi es-tu si certain que le roi me recevra ?

— Parce qu'il le doit.

Ezra fronça les sourcils.

— Toi, le Perse, tu crois aussi que la main de Yhwh est sur moi ? fit-il avec ironie.

— Il se peut, puisque Lilah le croit. Mais ce qui est certain, c'est qu'Artaxerxès te donnera audience tout à l'heure car, comme ton dieu, sa mère, la reine Parysatis, le veut.

— Je ne comprends pas, fit Ezra, les traits durcis.

Antinoès raconta alors comment Lilah avait décidé de faire connaître la valeur de son frère à Artaxerxès, comment elle était allée devant Parysatis afin de plaider sa cause.

Quand il se tut, les yeux d'Ezra évitaient son regard. Après un moment, il demanda :

— Parysatis oserait jeter Lilah aux lions ?

— Sans hésiter.

Ezra se tut encore avant de poursuivre.

— Ainsi, tu ne pourras pas la prendre pour épouse ?

192

Antinoès le fixa en silence.

— Et toi, que fais-tu ici ? demanda encore Ezra.

— J'ai été convoqué, car je suis celui qui a rédigé la requête d'audience pour toi.

Pour la première fois depuis qu'il était devant Antinoès, l'expression d'Ezra s'adoucit.

— Tu as écrit la requête ?

— Nous avons été frères, Ezra, murmura Antinoès avec un tremblement de colère. Moi, je ne l'oublie pas, même si toi, tu prétends ne pas t'en souvenir ! À vouloir respecter les lois et les règles de ton dieu, tu en deviens plus raide qu'un mur de brique !

Ezra à nouveau évita son regard. Ses mains pétrissaient l'étui de cuir contenant le rouleau de Moïse.

— Ne te méprends pas, reprit Antinoès sur le même ton. Celle à qui tu dois d'être ici aujourd'hui, c'est Lilah. Elle est celle qui croit que la main de ton dieu est sur toi. Elle est celle qui voit en toi un avenir que je ne comprends pas. Mais j'aime Lilah comme un homme ne peut aimer qu'une seule femme. Et mon amour ne ressemble pas au tien. Il n'a pas d'autre exigence que son bonheur !

Le visage d'Ezra était maintenant livide. Il se tint, pétrifié, indifférent à tout ce qui l'entourait, avant de murmurer :

— Celui à qui je dois d'être ici, c'est Yhwh.

Antinoès approuva d'un petit signe de tête. Un sourire triste effleura ses lèvres.

— Sans doute est-ce ainsi que tu vois les choses. Moi, je dirais que ton dieu a placé sa volonté entre les mains de Lilah. Sa volonté ajoutée au courage de ta sœur. Car rien n'est plus dangereux, en cette ville, que de s'en remettre à Parysatis. Cela a toujours un prix.

Il y eut un peu de mouvement à l'autre extrémité de la pièce. Les derniers courtisans encore debout s'assirent alors qu'Ezra, troublé, demandait :

— Que veux-tu dire ? Quel prix Lilah a-t-elle payé pour cette demande d'audience ?

Comme une vague, le silence recouvrit tout à coup la salle. Sans bouger les lèvres, Antinoès chuchota :

— Le roi vient de s'installer derrière le rideau. Tu ne dois plus parler jusqu'à ce qu'on te l'ordonne. Mange ou, si tu ne le veux pas, tiens-toi immobile. Souviens-toi qu'il peut te voir, et sois certain qu'il te regardera.

*
**

Comme l'avait prédit Antinoès, la patience était la plus grande vertu que pouvaient posséder ceux qui espéraient franchir le rideau de l'audience. Le temps du repas du roi fut interminable. Le silence qui pesait sur la salle paraissait encore le dilater.

De temps à autre, les courtisans percevaient quelques murmures échappés de la pénombre, au-delà du rideau. Des voix féminines, de petits rires. Eux-même mangeaient silencieusement. Les seuls bruits provenaient des plats et des écuelles d'eau citronnée que les serviteurs leur apportaient afin qu'ils puissent se rincer les doigts. Tous mangeaient avec lenteur et application, la nuque courbée sur les plateaux de cuivre. Mais tous ne mangeaient qu'après que les eunuques eussent auparavant goûté chacun des mets posés devant eux.

Ezra, lui, se tenait raide sur son coussin. Malgré la mise en garde d'Antinoès, il dissimulait mal l'agacement que lui causait une si longue attente. Comme les autres, il éprouvait le poids du silence et même l'inquiétude d'être sous le regard du roi sans pouvoir imaginer où se posaient ses yeux. Artaxerxès le Nouveau voulait assurément se donner l'apparence d'une divinité. Sans doute y parvenait-il avec ses courtisans... Ezra en sentait son humeur s'assombrir.

Nerveusement, il roulait à son index la bague que lui avait remise Axatria. C'était une pierre rouge sertie d'argent que Sarah avait subtilisée dans le coffret de Mardochée. Les doigts de son oncle étaient de loin plus larges que les siens. Il lui suffisait d'écarter un peu l'index et le médius pour que la bague glissât comme par inadvertance.

Il espérait qu'elle lui serait bientôt utile, mais commençait à en douter. À côté de lui, Antinoès avait mangé avec une application polie, qui n'indiquait ni vraie faim ni plaisir.

Soudain, les sons de harpes, de flûtes et d'un tambour vibrèrent derrière le voile. Une voix juvénile et puissante s'éleva. Ezra reconnut celle d'un très jeune eunuque. Les paroles chantées glorifiaient la virilité et la puissance guerrière d'Artaxerxès et de ses ancêtres. Puis, avec la même soudaineté qu'elle avait commencé, la musique cessa. Dans le même instant le voile s'ouvrit.

La foule des courtisans se dressa. Antinoès tira Ezra par le pan de sa tunique afin qu'il se levât de son coussin et, comme les autres, pliât le buste dans un salut.

Mais à peine se furent-ils redressés que deux gardes étaient à leurs côtés.

L'un deux déclara :

— Ezra, fils de Serayah, notre roi, Artaxerxès le Nouveau, maître des peuples, Roi des rois, te fait venir devant lui.

*
**

Alors que les eunuques et les serviteurs exhibaient des vêtements somptueux, que la tunique du chiliarque Tithraustès était éblouissante d'or et de pierreries, en ce jour Artaxerxès le Nouveau était simplement vêtu d'une tunique blanche. Des tresses dorées se mêlaient à sa longue barbe et un haut bonnet tissé d'or et de pierres était posé sur sa perruque. Celle-ci était si volumineuse que son visage paraissait étrangement long et mince. Ses paupières étaient noircies de pommades, ses yeux aux iris gris avivés par le khôl. Un peu de rouge soulignait l'ourlet voluptueux de ses lèvres entre les ombres de la barbe. Il était assis sur un vaste siège piqué d'étoiles d'émeraudes et de perles. Ses pieds reposaient sur un tabouret d'or et d'ivoire – on racontait qu'il le portait lui-même lorsqu'il se déplaçait dans le palais, et même quand il allait en char.

Sur sa droite se tenait le chiliarque et, derrière, les trois scribes du *Livre des jours*, aidés d'une vingtaine de jeunes eunuques, sagement accroupis tant que l'on n'avait pas besoin d'eux. À sa gauche, les musiciens guettaient un geste du roi. Tout autour cinquante gardes, parmi les plus grands qu'on ait vus, formaient un cercle.

Parvenu à la limite de la salle royale signalée un instant plus tôt par le rideau, Antinoès s'inclina. Il n'alla pas plus loin, alors qu'Ezra marcha tout droit en direction du roi.

Un murmure parcourut les courtisans.

Le visage du roi demeura impassible.

Ezra avança encore de quelques pas. Le front baissé, il s'inclina un peu, la main droite tendue vers le sol. La bague glissa de ses doigts, et il plia le buste comme s'il en accompagnait la chute sur le tapis. Après un bref temps d'arrêt, il se redressa, souffla sur sa paume tout comme Axatria l'avait fait dans la cour de la ville basse.

Hélas, il n'avait ni la grâce ni la bonne volonté de la servante ! Son geste ressembla si peu à une prosternation que le chiliarque Tithraustès appela d'un signe les gardes. La main d'Artaxerxès se souleva de l'accoudoir où elle reposait et un sourire amusé étira les lèvres du souverain.

Interloqué, Tithraustès s'assura d'un regard de la bonne humeur de son maître avant d'accomplir son devoir.

— Ezra, fils de Serayah, Juif de Sion, annonça-t-il. Mon roi, il vient te demander aide et soutien pour conduire à Jérusalem ceux de son peuple qui vivent parmi nous, en Susiane et à Babylone, depuis l'exil de leur père. Cela remonte, mon roi, aux temps anciens où Darius n'était pas encore Roi des rois.

Ezra, comme tous ceux qui se tenaient dans la salle, demeura figé le temps que la voix du roi retentît pour la première fois de l'audience. Le sourire avait disparu de son visage.

— Ton salut, Ezra, n'est pas celui d'un homme qui m'aime. Pourtant, tu viens me demander de l'aide.

Antinoès vit les épaules et la nuque d'Ezra se raidir. Puis il entendit sa voix nette qui déclarait :

— N'y vois aucune offense de ma part, mon roi. Mon respect pour toi est celui que je te dois. Mais il est vrai, mon amour va à Yhwh, mon Dieu. Pour ce qui est de me prosterner, j'obéis à la Loi que Yhwh a donnée à mon peuple.

La réponse parut si surprenante à tous que les scribes, autant que le chiliarque, se tournèrent vers Artaxerxès, attendant que sa colère se déchaînât. Mais non. Le regard du Roi des rois parut seulement plus attentif.

— Voilà une réponse qui n'est pas plaisante. À moins que tu ne saches mieux me l'expliquer.

— Mon roi, comme l'a dit le chiliarque, mon peuple est celui de Jérusalem et de la Judée, la terre que Yhwh, Maître de l'univers, nous a désignée dans la naissance des temps. À la condition néanmoins que nous suivions Ses lois et Ses décrets. Ton père, le père de ton père et le grand Cyrus, Roi des rois, ont reconnu la grandeur des lois de Yhwh. Ils les ont trouvées bonnes et nécessaires. C'est pourquoi, à Ectabane, le grand Cyrus, après avoir conquis Babylone, a établi un décret nous rendant le droit de vivre selon ces lois et de les faire régner à Jérusalem, en Judée.

Artaxerxès parut réfléchir un instant, puis il se tourna vers les scribes du *Livre des jours*.

— Est-ce vrai ? demanda-t-il. Cela est-il inscrit dans *Le Livre des jours* ?

Commença alors un étrange ballet. Les scribes et leurs aides plongèrent dans les coffres qui les entouraient. De ceux-ci ils tirèrent des centaines de rouleaux de papyrus, dont ils vérifiaient le contenu sur l'écriture gravée dans le bois des manches. Ils s'affairèrent avec célérité, chacun prenant soin de sa tâche, sans s'occuper des dizaines d'yeux posés sur eux. Enfin, après un temps qui parut assez court, vu l'ampleur du travail, l'un des scribes fit dérouler l'un des rouleaux, de cinq ou six coudées de long. D'un œil expert il en parcourut les étapes et finalement sourit, se dressa et se prosterna avant d'annoncer :

— Oui, mon roi. Cyrus le Grand a parlé pour les Juifs de Jérusalem.

Artaxerxés, qui semblait à présent prendre plaisir à la joute, se tourna vers Ezra :

— Et toi, connais-tu cette parole ?

— Oui, mon roi, rétorqua Ezra sans sourciller. Cyrus, roi de Perse, a déclaré : « *Yhwh, Dieu du ciel, m'a remis tous les royaumes de la terre et il m'a chargé de lui bâtir un temple à Jérusalem, en Judée. Quiconque parmi vous fait partie de son peuple, que son Dieu soit avec lui ! Qu'il monte à Jérusalem bâtir le Temple du Dieu d'Israël, le Dieu qui est à Jérusalem. »*

Il y eut un instant de stupéfaction. Des murmures s'élevèrent dans l'assistance. Artaxerxès lui-même, pinçant les lèvres, fit glisser entre ses doigts l'or de sa barbe.

— Prétends-tu que Cyrus connaissait ton dieu et ignorait Ahura-Mazdâ, Anâhita et Mithra ?

— C'est ainsi qu'il a parlé, mon roi.

Artaxerxès eut un grognement, désigna les scribes du doigt.

— Que dit *Le Livre des jours* ?

Cette fois, il ne fallut pas longtemps pour que fuse la réponse :

— Ô mon roi, ce que vient d'énoncer Ezra est écrit mot pour mot.

Les chuchotements s'élevèrent à nouveau autour d'Antinoès. Artaxerxès, pensif, considéra Ezra. Enfin, il demanda :

— Ces lois de ton Dieu du ciel, qui les connaît ?

— Moi, mon roi.

— Toutes ?

— Toutes.

— Comment cela se fait-il ?

— Parce que je les ai étudiées chaque jour depuis des années.

— Où cela ?

Ezra leva l'étui de cuir et en sortit le rouleau de Moïse.

— Elles sont écrites ici, mon roi.

— Et qui les a écrites ?

Alors Ezra raconta comment Moïse avait sorti le peuple de Yhwh de l'Égypte de Pharaon, comment il l'avait conduit devant la montagne d'Horeb, où Yhwh lui avait dicté Ses commandements : des lois et des règles qui concernaient chaque chose et chaque temps de la vie, afin qu'ensuite, par les fils d'Aaron, son frère, elles soient transmises de génération en génération.

— Et tu prétends les connaître toutes, une à une ? interrogea Artaxerxès.

Ezra répondit que oui.

Artaxerxès sourit et désigna la broderie du bonnet d'Ezra.

— Si chaque chose procède d'une loi, pourquoi as-tu fait broder ce chandelier sur ton bonnet ?

— Parce que Yhwh a ordonné à Moïse : « *Tu feras un candélabre d'or pur. Sa tige et ses branches seront d'or pur. Ses calices, ses corolles et ses fleurs feront corps avec lui. Six branches sortiront de ses côtés... »*

Quand il se tut, Artaxerxès fit un signe. L'un des gardes vint prendre le rouleau des mains d'Ezra et le remit entre les mains des scribes. Ils y cherchèrent le commandement qui venait d'être cité.

— Mon roi, dirent-ils enfin, il est écrit mot pour mot ce que vient d'énoncer Ezra.

Maintenant ne régnaient plus qu'étonnement et silence autour d'Antinoès. Et l'audience dura si longtemps, ce jour-là, que nul autre qu'Ezra ne fut reçu. Artaxerxès posa encore mille questions et en fit chaque fois contrôler les réponses dans *Le Livre des jours*. Puis il demanda à Ezra quelle aide il attendait de lui.

Ezra expliqua ce qu'avait été la tâche de Néhémie et pourquoi elle était inachevée. Il raconta comment le roi Darius avait fait chercher dans ses archives et ses caves les objets volés par Nabuchodonosor pendant le sac de Jérusalem, ainsi que les mesures du Temple qu'il fallait reconstruire. Cela aussi, Artaxerxès le fit contrôler dans *Le Livre des jours*. Et comme, une fois encore, la réponse fut qu'Ezra disait la vérité mot pour mot, il annonça enfin :

— Demande-moi ce que tu veux, tu l'obtiendras.

Ezra déclara :

— Que la loi et l'ordre règnent à Jérusalem, mon roi, ne peut que t'être profitable. Aujourd'hui, les murs de Jérusalem sont à nouveau déchirés de fissures. Le désordre qui profite à tes ennemis y entre comme le vent. Jour après jour, Jérusalem tout entière ouvre une brèche de plus en plus béante dans la frontière de tes royaumes. Et par cette brèche le chaos de la guerre comme celui des peuples sans lois peut souffler jusqu'à toi. Donne-moi le pouvoir de quitter Suse avec ceux de mon peuple qui voudront me suivre. Donne-moi ce qui est nécessaire pour que je puisse redresser le Temple et le rendre digne de Yhwh. Et moi, là-bas, je te donnerai la paix et le calme. Jérusalem, solidifiée par la Loi de Yhwh, te protégera de l'Égyptien et du Grec.

Et Artaxerxès répondit :

— Que les mots d'Ezra soient inscrits dans le *Livre des jours*. Et aussi que moi, Artaxerxès, Roi des rois, je lui accorde ce qu'il demande.

*
**

Lilah dit :

— Ezra est revenu dans la ville basse en héros. Il faisait déjà nuit. Zacharie et les siens l'ont escorté avec des chandelles et des torches depuis la ville royale jusqu'à chez lui. Ils ont chanté, ils ont dansé toute la nuit avant de courir vers les maisons juives, dès l'aube, pour y crier la bonne nouvelle. À l'heure qu'il est, aucun fils d'Israël de Suse-la-Ville ne peut plus ignorer qu'Ezra, fils de Serayah, va partir pour Jérusalem avec l'accord d'Artaxerxès afin d'y relever le Temple.

Il y avait un peu de moquerie dans la voix de Lilah, mais plus encore de douceur et de paix.

Ils étaient dans la chambre d'Antinoès. Les volets en avaient été soigneusement doublés de couvertures afin que l'on ne devinât pas la lumière depuis l'extérieur.

— C'est quand on croit les espions de Parysatis assoupis qu'ils ont les yeux perçants, avait prévenu Antinoès.

Lilah ajouta :

— Ezra est le seul à ne pas montrer d'enthousiasme. Dès que l'un ou l'autre veut le féliciter d'avoir impressionné Artaxerxès par ses réponses durant l'audience, il s'écrie : « Ce que je sais, c'est peu ! Vous trouvez que c'est beaucoup parce que vous êtes ignorants. » Ou bien, il marmonne : « Tant que je n'ai pas la lettre d'Artaxerxès sous les yeux, inutile que vous chantiez mes louanges. La main de Yhwh n'est pas encore assurée sur moi. Je continue mon étude ! » Zacharie proteste, bien sûr. Alors, Ezra s'énerve : « Où sont les lévites qui doivent m'accompagner ? Tu m'en as promis des centaines. Mais moi, si je vous compte, je n'en trouve pas dix qui soient capables de lire le rouleau de Moïse ! Et ceux de l'exil sont des milliers dans Suse. Je ne les vois pas qui entourent la ville basse pour courir sur le chemin de Jérusalem ! Je n'en vois aucun, de ces impatients ! »

Antinoès rit, tant l'imitation que faisait Lilah de la voix d'Ezra était juste. Lilah se laissa rouler sur le dos, allongée sur la couche, les yeux perdus dans la pénombre du plafond. D'un ton qui n'était plus moqueur, elle poursuivit :

— Mon oncle Mardochée est très impressionné, lui aussi. Il sait qu'il n'ira pas à Jérusalem. Il tient trop à son atelier et à celui de ma tante. Mais il en a un soupçon de mauvaise conscience. Il va offrir des chars à mon frère pour qu'il puisse voyager confortablement. Quand je l'ai annoncé à Ezra, il m'a répondu : « Ils sont tous comme notre oncle, ma sœur. Tous ces gras fils d'Israël sont prêts à me donner leur or, pourvu qu'on ne les oblige pas à quitter leurs coussins. Ils n'ont aucun désir de revoir Jérusalem. Ils sont si bien ici, dans les bras d'Artaxerxès ! Croient-ils que Yhwh ne les juge pas ? »

Antinoès ne riait plus. Ils se turent. Le silence pesa sur eux, mais les mots qui restaient à prononcer pesaient encore plus lourd sur leur cœur.

Le visage d'Antinoès se défit comme un tissu que l'on froisse. Il chuchota :

— Mais toi, tu n'es pas comme ton oncle. Tu es la sœur d'Ezra, et tu vas prendre le chemin de Jérusalem...

Lilah ne répondit pas tout de suite. Elle ferma les paupières. Antinoès scruta sa bouche, le souffle plus rapide qui gonflait sa poitrine.

— Hier, dit-elle enfin, Ezra m'a demandé : « Et toi, ma sœur, me suivras-tu ou demeureras-tu avec ton Perse ? » Cela m'a mise en colère. Je lui ai répondu que mon Perse avait un nom. Et que je ne lui fournirai pas de réponse tant qu'il ne sera pas capable de le prononcer.

Elle se tut, les yeux toujours clos. Antinoès n'osait pas bouger, à peine respirer. Il n'avait pas de doute sur la décision de Lilah. Mais c'était plus fort que lui. Ses mains tremblaient comme si des mots miraculeux pouvaient sortir de la bouche bien-aimée.

— Ce matin, reprit doucement Lilah, il m'a accueillie dans la ville basse avec une tendresse que je ne lui ai pas connue depuis longtemps. Il m'a dit : « Antinoès m'a raconté. Antinoès m'a dit que tu étais allée devant la reine Parysatis pour moi. »

La voix de Lilah se brisa. Elle se mordit les lèvres. Les larmes perlèrent à ses paupières closes.

— Il m'a dit : « Je sais qu'Antinoès, ton amant, est celui qui a écrit la lettre pour solliciter en mon nom une audience à Artaxerxès. J'ai été injuste et dur envers lui. Je peux dire du bien d'Antinoès aujourd'hui. Mais cela ne change rien. Tu dois me comprendre. Je ne fais que suivre la Loi de Yhwh. Il n'y a pas d'autre choix. Comment ma sœur pourrait-elle vivre une existence entière avec un homme qui n'est pas un fils d'Israël ? Aux pieds de la montagne des Commandements, Yhwh a dit à Moïse et à Aaron : " Comment osez-vous laisser vivre les femmes qui ont couché avec les Madianites ? Elles sont impures. L'eau amère de la malédiction coulera sur elles. î »

Antinoès avait saisi la main de Lilah. Elle s'y agrippa. Elle le tenait si fort qu'elle semblait suspendue dans le vide, murmurant :

— Il répète qu'il a besoin de sa sœur. Et c'est vrai. Je le sais. Je l'ai toujours su. Comme je sais que ce qu'il accomplit est grand.

— Moi aussi, je le sais, répondit enfin Antinoès. Parysatis aussi le sait. Il n'y a pas de miracle. Tu dois accompagner Ezra à Jérusalem.

Lilah ouvrit ses paupières, libérant ses larmes. Elle scruta le visage d'Antinoès.

— Je pourrais me cacher. Aller seulement à Babylone. Le temps que Parysatis m'oublie. Nous nous retrouverons dans un an. Oui, dans un an, Parysatis m'aura oubliée. Ou, qui sait, elle sera morte !

— Parysatis ne t'oubliera jamais. Où que tu sois, si tu es avec moi, sa cruauté t'atteindra. Et ne compte pas sur sa mort. Les démons durent longtemps. De toute façon, Ezra, lui non plus, ne te laissera jamais à Babylone.

Lilah porta à sa bouche les doigts d'Antinoès noués aux siens.

— Alors, c'est toi qui vas m'oublier ?

— Non. Je te porterai en moi chacun des jours qu'il me reste à vivre.

Avec douceur il l'obligea à se redresser. Il la fit mettre debout et ôta sa tunique. De chacune de ses mains, il souleva un lumignon pour mieux voir son corps nu, tandis qu'il tournait autour d'elle.

— Chaque grain de ta peau se marquera dans mes yeux, promit-il. Je verrai ton visage dans mes rêves. Je baiserai tes seins et ton ventre dans mes rêves. Je serai en toi, nuit après nuit, et, le matin, j'aurai le parfum de tes baisers sur mes lèvres. Le matin, mon sexe se dressera au souvenir de tes hanches.

Lilah se rendit compte qu'Antinoès pleurait lui aussi. Elle sourit et dit d'une voix à peine audible :

— Tu étais revenu à Suse pour faire de moi ton épouse...

— Ils sont trop nombreux, ceux qui ne le veulent pas.

— J'ai fait une promesse, je veux la tenir.

Elle attrapa le drap de leur couche et le tint au-dessus d'elle, tel un dais. Ainsi, elle commença à son tour à tourner autour d'Antinoès d'un pas léger et dansant.

— Je suis Lilah, fille de Serayah, chuchota-t-elle. Je choisis mon époux selon mon cœur et devant l'Éternel, Yhwh, mon Dieu.

Un sourire lumineux lui éclaira le visage, alors que ses hanches dansaient la ronde des épousailles et que ses bras poussaient le drap sur la tête de son amant.

— Je choisis Antinoès, celui qui m'a choisie depuis le premier jour de l'amour.

Antinoès se mit à rire et leva les bras pour soutenir le drap. Ils tournoyèrent, les yeux dans les yeux, les hanches dans le même balancement.

— Je suis Lilah, fille de Serayah. Jusqu'au jour où Yhwh me reprendra le souffle, je n'aurai pas d'autre époux.

— Je suis Antinoès, puissant de Suse-la-Citadelle. Qu'Ahura-Mazdâ et Anâhita protègent mon amour pour Lilah. Qu'ils donnent au temps la puissance et la fidélité.

Ils riaient, les larmes brillant sur leurs joues, leur bonheur aussi intense que leur désespoir.

— Je suis Lilah, fille de Serayah, et devant l'Éternel je tiens ma promesse. Je suis Lilah, épouse d'Antinoès. Cela est écrit dans *Le Livre des jours* jusqu'à la fin des temps.

— Je suis Antinoès, époux de Lilah. Qu'Ahura-Mazdâ jusqu'à la fin des temps m'apporte les baisers de Lilah.

Deuxième partie

Les répudiées

Antinoès, mon époux,

Presque une année s'est écoulée depuis que nous avons tourné sous le dais des épousailles. Une année que tes lèvres ne se sont pas posées sur les miennes, que tes mains n'ont pas caressé mes seins et mes hanches.

Un temps devenu si long que je ne sais plus à quelle aune le mesurer.

Mais il n'a guère été de nuits et de jours sans que je murmure ton nom, sans que le désir d'entendre ta voix, de recevoir ton souffle sur ma nuque ne me torde le ventre et ne brise le peu de joies que je pouvais éprouver.

Pourtant, j'ai su être patiente.

Durant notre nuit d'épousailles, j'ai fait la promesse qu'un jour nous nous retrouverions. À Suse ou à Babylone. Peut-être à Jérusalem ou, pourquoi pas ? dans un autre endroit du monde. J'ai promis que Yhwh ne nous laisserait pas séparés pour la vie entière. Oui, je t'ai fait cette promesse : un jour viendra où Lilah, ton épouse, sera à ton côté, où je porterai tes enfants et les ferai grandir. Antinoès et Lilah seront mari et femme ainsi que l'on doit l'être. Et non simplement des fantômes et des souvenirs.

Aujourd'hui, cependant, je le crains, je ne saurais tenir cette promesse.

Non de ma propre volonté. Oh non !

Mais il s'est passé quelque chose de si terrible que je ne sais plus à quoi demain ressemblera. Je ne sais plus ce que je pourrai et ne pourrai pas accomplir.

Je t'écris parce que j'ai peur ! Parce que je ne sais plus ce qui est juste et injuste.

C'est comme être emportée par la crue d'un fleuve et se débattre dans le courant en voyant ses rives disparaître.

Et dans le même temps que je les écris, je me dis qu'il y a une folie à noircir d'encre et de phrases ce papyrus !

Car j'ignore absolument tout de ta vie présente. J'ignore tout de toi, mon époux bien-aimé.

En vérité, je n'ai pas même la certitude que tu vis encore !

Mais à ta mort, je ne peux pas penser. Cela, c'est impossible, Antinoès, mon amour.

Tes batailles ont-elles été nombreuses et difficiles ? As-tu été blessé ou victorieux ?

Parfois, au cours des heures de désespoir, quand la solitude devient comme une boue d'hiver, glacée et gluante, quand il n'y a plus de couleur dans les arbres et le ciel et que les battements de mon propre cœur m'effrayent, je songe qu'une autre a déjà su être ta femme et occuper la place que je laisse vide.

Alors, je me reproche mon obstination ! Oh oui, je me la reproche et m'en punis par le rêve de ce que je n'ai pas choisi de rendre réel : aller avec toi, loin de Parysatis, loin d'Ezra. Loin de Suse. Demeurer près de toi, voir tes yeux, ta bouche, regarder palpiter tes narines à chaque aube, à chaque crépuscule.

Je n'ignore pas qu'un homme aussi beau et aussi puissant qu'Antinoès mon époux ne peut demeurer solitaire. Comment pourrait-il vivre sans corps de femme contre le sien ? Sans amour ni caresses ? Sans rien d'autre que des souvenirs qui, aujourd'hui, ne sont peut-être que des fumées dispersées ?

Car c'est bien cela notre vérité, ô mon époux. Nous ne sommes plus l'un pour l'autre que les fantômes de notre mémoire.

Ces pensées-là me torturent sans fin.

Mais elles me torturent moins si je te parle ainsi, en couchant les mots sur les fibres jaunes du papyrus.

Cette lettre que je t'écris, je n'ai aucun lieu où te l'envoyer. Ni pays, ni ville, ni camp, ni maison où te l'adresser. Elle n'est que ma folie et mon rêve de te garder vivant près de moi.

Antinoès, mon bien-aimé, mon époux devant l'Éternel, l'unique homme qui ait posé ses lèvres sur moi.

*
**

Pour que cette folie qui m'entoure aujourd'hui puisse être comprise, si cela se peut, il me faut commencer par notre départ de Suse.

Au lendemain de notre nuit d'épousailles arriva l'ordre qui nous sépara. Avant même la nuit suivante tu devais quitter Suse pour Karkemish, sur le haut Euphrate. Parysatis avait fait son œuvre. Elle nous séparait d'une main sûre.

Toi, autant que moi, tu payais le prix de la lettre au sceau d'Artaxerxès que des gardes de la Citadelle vinrent déposer entre les mains d'Ezra.

Zacharie monta sur un solide panier qu'apporta Sogdiam. Il lut le rouleau de papyrus d'une voix si puissante que même ceux qui se trouvaient dans la rue

211

devant la maison purent entendre distinctement ses mots.

Moi, depuis, je les ai entendus si souvent répéter qu'aujourd'hui je peux les écrire comme on murmure un ressassement :

« Artaxerxès, Roi des rois, à Ezra, scribe de la Loi du Dieu du ciel :

Par moi ordre est donné à tous ceux qui, en mon royaume, font partie du peuple d'Israël, des prêtres ou des lévites, et se sont portés volontaires pour partir avec toi pour Jérusalem. Qu'ils y aillent, car tu es envoyé par le roi et ses sept conseillers pour ordonner la Judée et Jérusalem selon la Loi de ton Dieu... »

Chacun écoutait, bouche bée dans le froid, mais le cœur enfin réchauffé par ces mots qui soutenaient la volonté d'Ezra.

« Moi, Artaxerxès, poursuivait Zacharie, j'ordonne à tous les trésoriers de l'au-delà du fleuve d'agir comme le demande Ezra, de lui donner cent talents d'argent, cent kor de grain, cent bâts de vin, cent bâts d'huile et du sel sans compter... »

Quand la lettre fut lue en entier, il n'y eut pas d'explosion de joie comme lorsque Ezra avait quitté l'Apadana après son audience. Il n'y eut ni chants ni danse. Les visages, autour de moi, étaient graves et sérieux. Grandement respectueux.

La lettre d'Artaxerxès n'était pas seulement un ordre et un pouvoir. Elle témoignait combien la main de Yhwh était désormais sur Ezra. Ce que j'avais assuré depuis des mois et dont maître Baruch était également convaincu, chacun le constatait.

Il fallut encore plusieurs jours afin d'organiser le départ. Maintenant qu'il était assuré, les volontaires se pressaient par centaines et milliers. Beaucoup venaient des villages des alentours de Suse. Bientôt, la ville basse fut envahie et les habitants grondèrent. Zacharie obtint l'usage des terrains vagues, le long de la Chaour, après la ville basse, et y fit dresser les tentes.

Pourtant, si nombreux que fussent ceux qui décidaient de le suivre, Ezra ne pouvait s'en contenter. Il tempêtait : « Yhwh exigeait le retour de tout notre peuple à Jérusalem ! Pas seulement de quelques-uns ! »

Il envoya des jeunes gens pleins de fougue dans chaque maison juive de Suse. En réponse, mon oncle Mardochée et d'autres vinrent le visiter. Ils expliquèrent que toutes les familles ne pouvaient quitter Suse en abandonnant d'un revers de main l'ouvrage d'une vie, les fabriques, les ateliers, et même les postes et les emplois de la Citadelle qui souvent avaient été acquis aux premières années de l'exil.

— L'exil n'est plus, répliquait Ezra sans écouter leurs plaintes. Vous n'avez aucune bonne raison de demeurer chez le Perse. Sinon votre or et le confort de vos coussins.

Ainsi, durant cinq jours et cinq nuits, les maisons juives de Suse furent illuminées et vibrantes de pleurs autant que de joie. Il y avait ceux qui partaient et ceux qui restaient. Des pères envoyèrent des fils, des fils refusèrent de suivre les pères. Les amantes, les épouses, les sœurs étaient séparées ou tiraillées comme je l'étais moi-même.

Contrairement à mes craintes, tante Sarah ne me supplia pas de rester. Elle s'enferma dans sa chambre, les yeux rouges de pleurs et indifférente pour la première fois de sa vie à ce qui se passait dans l'atelier.

En vérité, ceux qui restaient portaient toute la tristesse. Celle de la séparation et celle de la honte. Les dures paroles d'Ezra accomplissaient leur œuvre à leur manière.

Afin de calmer sa colère et peut-être celle de Yhwh, ceux qui choisissaient de demeurer offrirent tout ce qu'ils purent de richesses. On nous donna quantité de chariots, de nourritures et de vêtements, de tapis et de tentes. Du petit et du gros bétail, des centaines de mules furent rassemblées. Certains offrirent même des esclaves et des serviteurs.

C'était d'étranges jours.

Et moi, je les vivais encore plus étrangement.

À vrai dire avec indifférence et sans aucune joie.

Je me reprochais de ne pas être heureuse. N'avais-je pas voulu plus que tout ce qui advenait ? Mais j'avais beau me le reprocher, rien ne m'apportait paix et satisfaction.

Déjà tu me manquais, Antinoès. Je songeais que je t'avais serré dans mes bras juste assez fort pour garder l'empreinte de ce que j'avais déjà perdu. Ce poids était plus lourd à porter que je ne l'avais cru. Soudain, je doutais d'en être capable. Je n'étais plus cette femme assurée qui avait trouvé le courage et la détermination d'affronter Parysatis.

Je n'étais qu'une jeune femme de vingt-deux années et une épouse de quelques jours. J'étais effrayée. Devant moi s'étirait l'immensité d'une vie que je ne parvenais pas même à imaginer.

Heureusement, Ezra ne devina rien de mes doutes, car je ne le vis pas avant le départ, ni même durant notre route jusqu'à Babylone.

Désormais, Zacharie et les siens l'entouraient assidûment, ainsi qu'une troupe de jeunes gens pleins de ferveur venus de toutes les parties de la Susiane. Ils buvaient ses paroles et ses colères comme on s'abreuve de petit lait au matin.

Oh ! il n'y eut rien de désagréable. Aucun mot ni aucun geste déplaisants. Mais j'ai vite deviné que je n'étais plus la bienvenue auprès de mon frère tant que les graves décisions du départ les accaparaient. Des décisions d'hommes, forgées avec le savoir des hommes pour ces choses-là !

Cela ne me peina pas. J'avais moi aussi à me préparer et bien des larmes à sécher. Axatria était nerveuse comme une chatte qui a perdu ses petits. Elle craignait à tout instant de ne pouvoir nous accompagner à cause des rumeurs qui circulaient : les jeunes dévots d'Ezra assuraient que mon frère ne voulait que des Juifs avec lui. Seuls les fils d'Israël, hommes, femmes et enfants, pouvaient prendre la route et retourner peupler Jérusalem, prétendaient-ils. Les serviteurs, et même, dans certains cas, les épouses ou les époux qui n'étaient pas juifs ne pouvaient se joindre aux voyageurs.

Cependant cette rumeur ne fut jamais confirmée. Elle se dissipa, recouverte par une annonce véritable : Ezra ordonnait un jeûne de deux jours sur les bords de la Chaour avant le départ.

Ô Antinoès, mon bien-aimé, si seulement je pouvais poser mon front sur tes épaules !

Il m'a fallu interrompre cette lettre pour aller enterrer un enfant.

C'est, en ce moment, la plus épouvantable de mes tâches, mais pas la moins fréquente.

Il m'est difficile de reprendre le calame sans que mes doigts tremblent.

Ce qu'a pu être notre départ de Suse, tu l'imagines. Il n'est pas besoin que j'use mes mots là-dessus. Mardochée avait tout particulièrement préparé un char pour Axatria et moi. Tante Sarah en avait décoré les bancs des plus beaux tissages de ses ouvrières. Beaux et solides, car je suis encore assise dessus tandis que le char est désormais affecté à un autre usage.

Nous formions une colonne de dix mille personnes, au moins. Le soir, les premières étaient déjà parvenues au bivouac alors qu'on ne voyait pas même l'ombre des dernières ! Ezra allait en tête, bien sûr, suivi par Zacharie, les siens et les jeunes dévots. Tous sans aucune femme. Puis venaient les familles par ordre des tribus selon les classements très anciens qu'en avaient faits Moïse et Aaron sous la montagne des Commandements.

Après avoir avancé durant la matinée du premier jour, nous avons découvert Sogdiam qui se déhanchait sur le bord du chemin. Ce fut ma première joie depuis longtemps que de le faire grimper dans notre char.

On rit lorsqu'il nous expliqua, plein de dépit, qu'il avait cherché par tous les moyens à rester devant, auprès d'Ezra. C'était sans espoir : il était encore loin, grognait-il, d'être assez bon Juif pour en avoir le droit.

Il avait aussi très peu apprécié les deux jours de jeûnes précédents et dévora le repas que nous lui offrîmes avec un appétit de tigre.

Ce fut notre chance de l'avoir avec nous durant ce long voyage. C'est encore aujourd'hui ma chance qu'il soit auprès de moi. Il a accompli mille merveilles, et pas seulement pour cuisiner des soupes et des pains fourrés.

Ce jour-là, c'est par lui que nous apprîmes notre première destination. Nous nous dirigions vers les rives de l'Euphrate pour rejoindre Babylone.

— Ezra est très mécontent, raconta Sogdiam. Il trouve que nous ne sommes pas assez nombreux. Il pense que les Juifs de Babylone sauront mieux l'écouter que ceux de Suse.

Il nous fallut presque une lune pour atteindre Babylone. Nous dûmes descendre jusqu'à Larsa pour trouver un pont qui nous permît de traverser le grand fleuve, alors en crue.

Chaque journée était plus chaude que la précédente, mais un peu moins pénible. Nous nous accoutumions à monter et à démonter les tentes, à marcher sans fin, à raidir nos reins sur les bancs des chars. Pour beaucoup il était difficile de dormir avec les bruits de la nuit, les appels des fauves, le crissement des insectes et des serpents.

Pour moi, le feu des étoiles, les jeux de la lune et des nuages ravivaient la mémoire de nos nuits dans la tour de ta maison. Et ces souvenirs me rendaient la journée du lendemain plus facile tant je devenais indifférente aux mille désagréments d'un pareil périple.

Ezra avait envoyé Zacharie devant nous. Lorsque nous parvînmes à Babylone, on nous accueillit avec des chants et des fleurs. Une terre avait été préparée pour que nous puissions y dresser les tentes. Elle était si loin de la ville que l'on en voyait la grande ziggourat et ses jardins comme s'il s'agissait d'une montagne et non d'une construction.

C'est le lendemain de ce jour que je revis Ezra pour la première fois. Axatria et moi venions de disposer nos couches sous la tente lorsqu'il souleva la portière.

Je le reconnus à peine. Sa tunique était grise de poussière, ses cheveux hirsutes. Il me dit plus tard qu'il avait perdu l'anneau d'ivoire que je lui avais offert et qui les retenait habituellement. Sa maigreur et sa mauvaise mine faisaient peur. Ses yeux brillaient de fièvre. L'étui de cuir du rouleau de Moïse ne le quittait plus, de nuit comme de jour. Ses doigts se serraient si violemment autour que l'on voyait les os tendre la peau.

Assurément, il avait jeûné plus durement que tous.

Axatria ne put s'empêcher de montrer sa peine et de lui reprocher cette piteuse apparence. Il la fit taire sans ménagement et lui ordonna de nous laisser seuls. Ce qu'elle fit avec la plus parfaite soumission, sans se montrer fâchée le moins du monde.

Un peu plus tard, Sogdiam lui apporta une tisane et le regarda avec tristesse. Ezra ne prit qu'à peine conscience de sa présence.

— Pourquoi ta tente est-elle si loin de la mienne ? me demanda-t-il. Pourquoi ne t'ai-je pas vue depuis notre départ ? J'ai douté que tu sois dans la caravane.

Je lui ai répliqué qu'il n'avait eu aucune raison de douter de mon départ, puisque nous en étions convenus.

— Et je suis à ma place, ajoutai-je. Ceux qui t'entourent, tu les as choisis, et je ne crois pas que je serais la bienvenue parmi eux. Il ne semble pas ce soit la place d'une femme...

Il évita mon regard. Pendant un instant, Antinoès, tu aurais reconnu le jeune Ezra dont tu te moquais parfois. Beau et fragile comme une gazelle, plein de fougue et soudain perdu au milieu de son enthousiasme.

J'allais sourire et me moquer de lui lorsqu'il me dit :

— Maître Baruch me manque. Il n'est pas de jour sans que ses conseils ne me fassent défaut. Et toi aussi, tu me manques. Il n'y a aucune raison pour que tu te tiennes si loin.

Je lui demandai ce qui était si difficile. Il me répondit avec amertume que tout était difficile. Que rien de ce qu'il avait prévu n'allait comme il le voulait. Il essayait de suivre en toute chose la Loi de Moïse. Mais dès qu'il avançait d'un pas se dressaient mille obstacles.

— Et d'abord à cause de l'ignorance ! s'enflamma-t-il. Tu ne peux pas imaginer à quel point ceux qui nous accompagnent sont ignorants, Lilah. Ainsi, je ne trouve pas de lévites capables d'endosser la responsabilité des objets sacrés du Temple. Selon la Loi, c'est pourtant eux qui devront en prendre soin jusqu'à Jérusalem et les déposer dans le Temple. Dieu du ciel, comment est-ce possible ? Il semble qu'il n'existe plus aucun prêtre, dans toute la Babylonie, descendant des familles inscrites au registre de David ! Et les rares que je trouve, qui connaissent encore un tant soit peu leur devoir, ne peuvent faire l'affaire.

— Et pourquoi ? m'étonnai-je.

— Parce qu'ils n'ont plus de pouce !

C'était vrai. C'était devenu une tradition chez les lévites de se couper le pouce. La raison en remontait aux premiers temps de l'exil. Comme les prêtres, ainsi que l'avait voulu le roi David, savaient excellemment jouer de la lyre à dix cordes pour leur devoir sacré, Nabuchodonosor avait décidé qu'ils deviendraient ses musiciens. Aussi, les lévites s'étaient-ils tranché le pouce afin qu'on ne puisse les contraindre à cette humiliation. Et ainsi le firent les générations de leurs fils.

— Ezra, lui demandai-je, pourquoi te laisses-tu abattre comme si tu étais seul ?

Une fois de plus, avec calme je lui répétai ce que j'avais dit si souvent avant qu'il ne se retrouve devant Artaxerxès :

— Fais confiance à Yhwh. S'Il veut que tu ailles à Jérusalem, si Sa volonté est que tu redresses le Temple, si Son désir est que la Loi qui t'est si chère soit respectée, pourquoi dresserait-Il des obstacles sur ton chemin ?

— Parce que nous sommes si impurs et si imparfaits que nous ne pouvons Lui plaire, gémit-il.

— N'est-ce pas la raison pour laquelle nous sommes en route ? Pour nous améliorer ? Pour apprendre à vivre selon la Loi ? Pour retrouver le chemin de la justice et de l'Alliance ?

— Nous en sommes loin, Lilah ! Si loin !

Je ris.

— Oui, nous n'en sommes qu'à Babylone ! Nous n'avons pas encore traversé le désert. Mais il se peut bien que Yhwh soit moins impatient que toi. Heureusement pour nous.

Nous discutâmes encore un moment, chacun défendant son point de vue, puis, finalement, Ezra me déclara :

— Replie ta tente et viens dès ce soir la monter près de la mienne.

J'acceptai avec un peu de réticence, à deux conditions : que Sogdiam et Axatria puissent demeurer avec moi, et que les épouses, sœurs et filles de ceux dont il s'était entouré en tête de la colonne en fissent autant. Ce qu'il me concéda.

Au moins le lendemain parvins-je, au grand soulagement de Sogdiam, à le convaincre de ne pas ordonner un nouveau jeûne de purification. Nombreux étaient ceux que la route avait déjà trop affaiblis. Nous avions plus besoin de force que de faim. Ezra accepta de mauvaise grâce. Ses jeunes dévots n'avaient pas considéré mon arrivée ni celle des autres femmes avec beaucoup de plaisir. Que je convainque Ezra de repousser un jeûne leur convint moins encore. Dès cet instant, ils me regardèrent avec une défiance qui ne s'est jamais amoindrie, bien au contraire.

Quoi qu'il en fût, ce jour-là Ezra fit établir un autel. À la place du jeûne, trois jours durant il fit brûler de formidables offrandes. S'y consumèrent, je crois, près de cent béliers, presque autant d'agneaux, plus de dix taureaux et des boucs d'expiation. La fumée des graisses recouvrit le camp et l'odeur, agrippée aux toiles des tentes, en persista pendant une lune.

C'est aussi le temps qu'il fallut pour que Zacharie revienne avec une centaine de jeunes lévites qui, tous, possédaient leurs pouces à défaut d'un grand savoir.

Ainsi, nous restâmes le temps de quatre shabbats à Babylone. Ezra recouvrit ses forces, reprit confiance et calme. Finalement, parmi les deux grandes familles descendant des princes désignés par David, il put désigner les douze prêtres qui seraient en charge du Temple : Shérévyah et Hashabaya, ainsi que leurs frères.

Ce fut l'occasion d'un soir de fête et de chants. L'occasion pour tous de se réconforter et de se laisser aller à un peu d'insouciance. La preuve était une nouvelle fois donnée que la main de Yhwh se tenait fermement sur la tête d'Ezra.

Ce qui n'empêcha pas les chicaneries car, aussitôt nommés, ceux qui se trouvaient en charge des ustensiles sacrés du Temple s'inquiétèrent de la route à venir :

— Ezra, nous avons devant nous deux ou trois mois de pérégrination. Nous allons traverser le désert et nous savons qu'il est infesté d'Amalécites et de toutes sortes de brigands qui vont être attirés comme des mouches par notre richesse !

Ezra répliqua que, désormais, nous étions en très grand nombre et que, pour ainsi dire, une ville entière allait se déplacer... On ne nous attaquerait pas à la légère.

— Que tu crois, Ezra ! Tu as passé, que l'Éternel te bénisse ! ta vie dans l'étude, tu n'as pas l'habitude de ces choses. Avancer dans le désert, c'est une autre affaire ! Ils ne se comptent plus, ceux qui ont disparu, ceux qu'on a pillés. Elles ne se comptent plus, les épouses, les mères, les sœurs et les filles violées...

Et ainsi de suite, jusqu'à ce que la raison de tout ce tintamarre sorte enfin de la bouche de l'un d'eux.

— Pourquoi n'as-tu pas demandé une escorte armée à Artaxerxès, puisqu'il était prêt à te l'accorder ? Pourquoi n'en demandes-tu pas une au satrape de Babylone ? La lettre d'Artaxerxès t'en donne le droit.

Ezra s'agaça. Il répondit qu'Abraham et Moïse n'avaient pas eu d'escorte armée pour traverser leur désert.

Shérévyah et l'un de ses frères, Guershom, eurent tôt fait de montrer qu'ils n'étaient pas ignorants des Écritures de la Loi. Moïse lui-même avait possédé une armée, assurèrent-ils. Josué et le fils d'Aaron, leur ancêtre comme celui d'Ezra, étaient de grands soldats.

Le soir, Ezra est venu me trouver en tremblant de rage. Depuis l'affaire du jeûne, il ne m'avait demandé aucun conseil. D'ailleurs, en la circonstance, il ne m'en demandait pas, simplement il voulait, sans le savoir, que je le caresse un peu avec des paroles sinon pour de bon, tant la colère lui durcissait la nuque. Je lui offris de partager mon repas, mais de nouveau il refusa de manger.

Je lui dis en souriant, pour l'apaiser :

— Il n'y a rien là de bien neuf. Il faut seulement leur répéter ce qui est, jusqu'à ce que la confiance vienne. Combien de fois Tsippora a-t-elle dû demander à son époux Moïse de retourner en Égypte pour se dresser devant Pharaon avant qu'il n'acceptât ? Il avait peur. Il ne s'en sentait pas capable. Lui, pourtant, c'était Moïse.

Ezra a compris ce que je voulais dire. Éclairé par des torches, il est monté sur un chariot. Sa voix a grondé et porté avec tant de force qu'une bonne partie de l'immense camp l'a entendue.

— Je sais ce que vous craignez : qu'on nous dépèce durant notre route. Vous me demandez pourquoi je n'ai pas réclamé d'escorte à Artaxerxès pour nous protéger. Ma réponse est simple : j'en aurais honte. J'en éprouverais tant de honte, pour moi comme pour vous, que je n'oserais plus bouger un orteil. Est-ce vers le Roi des rois, le maître des Perses, que vous vous retournez quand vous avez peur ? Est-ce avec cette confiance que vous voulez me suivre ? Si c'est le cas, je vous le dis tout net : vous pouvez rester ici, et moi, j'irai seul. Une escorte armée ? Quand nous marchons vers le Seigneur Yhwh ? Quand nous marchons vers Son Temple et que nous voulons vivre dans Sa Loi ? Qui êtes-vous ? Où sont les fils d'Israël ? Où sont ceux à qui Yhwh a dit un jour : « Je fais alliance avec toi » ? Demain, nous plierons nos tentes. Nous avancerons avec nos chariots pleins. Avec l'or pour le Temple. Avec la nourriture. Avec les femmes, les enfants, le bétail, et nous irons en Judée sous la garde de Yhwh. La première des paroles qui doit entrer dans vos cœurs, c'est que la main de notre Dieu nous protège, tandis qu'elle s'abat, pleine de force et de colère, sur ceux qui L'abandonnent. Si vous voulez craindre, craignez l'Éternel ! Car, c'est sûr, vous n'êtes pas encore dignes de Sa justice.

Ainsi, à l'aube suivante, dans le bruit d'une cohorte de vingt mille, nous nous éloignâmes des remparts de Babylone.

Étrangement, plus nous nous écartions plus les murailles de la ville me paraissaient éclatantes. Dans la brume laiteuse d'avant le plein jour, les escaliers et les jardins de la ziggourat semblaient s'avancer pour de bon dans le ciel. Si haut, si haut que son sommet s'y effaçait.

Puis elle disparut derrière une colline de poussière grise.

Et comme tout me ramenait à la pensée de ton visage, Antinoès, de voir Babylone qui s'effaçait ainsi, si totalement et si simplement, ce fut encore un peu plus comme si je te perdais.

Antinoès, mon bien-aimé.

Jamais encore je n'avais songé que de murmurer ces mots pouvait aider à glisser d'un jour à l'autre.

Je les murmurai comme sans doute Ezra aurait aimé que je murmure les lois qu'il nous enseignait, parfois, au bivouac, lorsqu'il nous accordait quelques heures de repos.

C'est aussi en cette période que m'est venu, plusieurs nuits de suite, un rêve plaisant et qui t'aurait amusé. Je me voyais dans notre caravane tout à fait comme elle était. Sogdiam venait un soir me chercher avec une mine mystérieuse. Il me conduisait à l'écart de la colonne, en un endroit où l'on ne voyait plus que l'immensité du désert, ses gorges et ses crêtes de sable.

Soudain, Sogdiam disparaissait et d'abord je ne voyais rien d'autre que le désert. J'avais beau me tourner et me retourner, mes yeux ne se remplissaient que de pierres et de sable. Puis, très loin, apparaissaient quelques silhouettes. Et, l'instant suivant, ces silhouettes arpentaient des dunes proches. Il m'était impossible de distinguer les visages, mais je discernais fort bien les chevaux, les chameaux et les armes accrochées aux selles. J'avais peur qu'il s'agît des bandits tant redoutés. Je courais vers la caravane me réfugier sous ma tente. À ma propre surprise, je ne prévenais personne du danger, et surtout pas Ezra. Je m'endormais comme je m'endormais dans la réalité : en murmurant le nom d'Antinoès.

Après un très court somme, une main sur ma bouche me réveillait brutalement. Pas un instant, pourtant, je n'avais peur. Je reconnaissais sur-le-champ la douceur de la peau comme l'odeur de mon époux.

Ensuite, tu me portais jusqu'à ta monture. À une vitesse stupéfiante nous filions vers Jérusalem. Nous étions surpris d'y découvrir une ville paisible, sans rien des horreurs qu'on nous avait décrites. Si bien que nous pouvions nous y installer et tu m'offrais les cadeaux des épousailles au cours d'un grand banquet. Nous étions, en public, mari et femme, et cela convenait parfaitement, car la ville était ainsi, heureuse de l'amour qui vivait entre ses murs. Ezra, lorsqu'il arrivait, n'avait qu'à reprendre son étude.

Je me réveillai de ce rêve partagée entre le bonheur de l'avoir vécu et l'amertume de la réalité qui m'entourait. Mais comme il se répéta de très nombreuses nuits, un jour je décidai de m'écarter de notre colonne au crépuscule. Comme dans le rêve je marchais assez loin pour ne rien voir d'autre que le désert.

Et, là, on aurait pu me voir, stupide, attendre jusque très tard dans la nuit de te voir apparaître.

Mon retour fut toute une affaire pour Sogdiam et Axatria, car ils m'avaient crue perdue et incapable de revenir à la caravane dans l'obscurité. C'était improbable : on ne pouvait manquer le millier de feux qui trouaient la nuit. Mon rêve, la nuit suivante et toutes les autres nuits depuis, n'est jamais revenu.

Cependant, plus nous avancions et plus je sentais renaître en moi un peu de paix, j'éprouvais même un certain plaisir à notre entreprise. Il faut dire que nous formions un spectacle prodigieux.

Mon Antinoès, toi qui connais les grandes cohortes militaires, peut-être peux-tu imaginer ce qu'a été notre fleuve d'hommes et de femmes !

Le seul roulement des essieux et des roues produisait un vacarme retentissant qui montait avec la poussière que nous soulevions en nuée. Il n'y avait pas un instant de silence. Toujours des cris, des appels, des pleurs, les braiments des mules ou les bougonnements des chameaux. Même la nuit. La nuit, justement, le camp semblait être une rivière de feu tant il y avait de foyers allumés. Parfois, j'imaginais que nous étions comme la réplique du fleuve d'étoiles qui court de part en part dans le ciel et qu'à Suse on appelle encore le chemin de Gilgamesh, comme dans l'ancien temps.

Certains ont assuré qu'il fallait marcher du crépuscule jusqu'à l'aube pour aller de la tête à la fin de notre colonne tandis qu'elle était au repos !

Et, bien sûr, elle frémissait de drames et de rires. Des dizaines de chars se sont retournés, des centaines d'hommes ou d'animaux ont été blessés. Il y a eu des disputes, des amours, secrètes ou pas, des épousailles, des naissances et des morts. Et par deux fois des meurtres, quelques vols, aussi, qu'Ezra dut juger à la manière de Moïse, une fois de plus.

Une nuit, Sogdiam m'a sauvé la vie en surprenant un serpent qui glissait en silence à deux pas de ma couche. Malgré ses jambes qui ne le rendent pas le plus agile des hommes, il est parvenu à le faire fuir avant de l'occire avec son tranchoir de cuisine. Ces serpents furent notre plus grande peur. Petits mais extrêmement venimeux, avides du lait que nous pouvions avoir dans nos cruches, ils ont tué plus d'une centaine de femmes et d'enfants pendant les deux mois de notre voyage.

Mon plus beau souvenir est ce que j'ai appris pendant ces jours. Le plus merveilleux des savoirs : celui d'aider celle qui donne la vie. J'ai appris à soutenir et à rythmer le souffle de celle qui enfante, à accueillir la tête du nouveau-né, parfois ses membres. Je sais le tirer vers la lumière en lui offrant sa première respiration. Et faire en sorte que cette respiration de bienvenue soit douce.

Oui, cela, ce fut la beauté de ces jours.

Puis, une après-midi, nous avons passé le Jourdain et le lendemain nous étions devant les collines de pierres blanches qui entourent Jérusalem.

L'obscurité est venue et j'ai dû interrompre cette lettre. Nous avons trop peu de chandelles et d'huile de lampe. Inutile que je les consomme pour rédiger dans le noir une missive que je ne saurais où adresser.

La nuit a été plus paisible que bien d'autres, sans attaque, sans cris ni blessés. Chacun a pu prendre un peu de repos. Nous entamons une nouvelle journée avec davantage de force. Il est étrange de s'étonner chaque matin du retour du soleil et de se demander s'il sera possible de voir le crépuscule.

C'en est fini de la belle, de l'élégante Lilah. Ma tunique n'est qu'une longue bande de lin trop souvent lavée et trop souvent portée. Mon châle est encore ce qui me reste de plus seyant, bien que les couleurs en soient si passées qu'on ne les différencie plus guère. Mes mains ont charrié tant de sacs, de pierres, de fagots de bois, mes paumes se sont déchirées à tant d'épines qu'elles ressemblent à celles des ouvriers dans l'atelier de l'oncle Mardochée.

Et mon visage !

Nous n'avons pas de miroir mais, quand il m'arrive d'apercevoir mon reflet dans l'eau d'un seau, je me fais peur. Il ne me reste presque plus rien de la beauté de Lilah qui impressionnait Parysatis et attisait sa jalousie.

Aujourd'hui, la reine ne lèverait pas même les yeux sur moi.

Toi non plus, sans doute.

Ma peau est sèche et tannée. Chaque jour des rides longues et nettes creusent mon front plus profondément. Aux plis de mes yeux et aux commissures de mes lèvres, elles sont fines et serrées. Elles font songer aux craquelures de poteries vernissées que l'on a rudement menées. Elles me font un visage vieilli de dix ans.

Soleil de feu, vent, pluie, canicule, grêle et gel, voilà ce qu'ont été mes pommades pour obtenir ce bel effet. Et des grimaces en guise de sourires.

La plante de mes pieds s'est couverte de corne avec l'usage des sandales de corde. Et j'en suis bien heureuse. Sans elles, il me faudrait aller pieds nus, comme beaucoup, sur les cailloux tranchants et brûlants.

Il y une semaine, pour la première fois, j'ai perdu une dent. Je peux encore le cacher, car son vide est à l'arrière de la mâchoire. Et j'ose l'écrire ici, en me moquant de moi, car il y a peu de chance que tu lises ces horreurs.

J'y ai songé longuement cette nuit, en attendant le sommeil. Il est bien peu de moyens de te faire parvenir cette lettre.

Peut-être parviendrais-je à convaincre Sogdiam de me quitter et de reprendre le chemin de Suse ? Et encore... Malgré son courage, ce serait un voyage bien long et bien périlleux pour un infirme comme lui.

Quoiqu'il n'y ait guère moins de périls à demeurer ici, à se ruiner le corps et le cœur.

Oui, le cœur. Car parmi toutes les injustices qui pavent nos journées, rien ne peut-être plus injuste que de s'enlaidir le corps autant que l'esprit, dans ce pays qui est si beau. Dans ce miel et ce lait que l'Éternel a confiés à Abraham et Jacob, à Moïse et Josué, à Sarah et Léa et Rachel et Hanna et à tous et à toutes qui nous ont précédés !

Car je te l'assure, Antinoès, quand, pour la première fois, mes yeux ont vu Jérusalem, j'ai vu le pays de lait et de miel. Ce pays bon et vaste, inépuisable de douceurs et de richesses, dont on nous a si souvent enchanté l'imagination durant notre enfance de Juifs de Babylone, de l'exil et du lointain.

C'était la fin du printemps. Tout ce qui était arbre à fruits – cerisiers, pêchers, pruniers –, toute la vie de la terre était en fleur. Les oliviers recouvraient d'une ondulation grise et soyeuse les flancs des collines. Des falaises de roches très pâles se dressaient sur les crêtes telles des mains alanguies. De grands cèdres et des yeuses sans âge offraient des ombres gigantesques aux troupeaux. Les agneaux bondissaient entre les buissons de sauge, de thym et de myrte, soulevant l'odeur de la terre comme la caresse d'un amant tire le parfum d'une femme nonchalante. Et, là où était passé le soc des labours, elle roulait d'un rouge presque sang, comme une chair véritable.

Et, véritablement, tel un bijou oublié dans son écrin, Jérusalem patientait entre les collines. Les murs, dressés avec les pierres lisses et pâles des falaises, éclataient de blancheur. Ici, aucune brique. Tout est de pierre, comme si ceux qui ont construit Jérusalem avaient imité l'Éternel érigeant les montagnes.

Tout était d'un grand calme, d'une grande paix. Plus nous nous approchions, plus nous distinguions les brisures du mur d'enceinte. Mais cela n'avait rien d'inquiétant. Des nuées d'hirondelles pépiaient au-dessus de ces ruines qu'elles avaient peuplées de leur nid. Des arbustes opulents à petites fleurs jaunes enlaçaient étroitement des moignons de pierres qui avaient été des tours de défense. Des agaves, des tamaris et même des oliviers poussaient depuis longtemps entre les blocs fendus où la terre du mortier s'écoulait comme une sève.

Aux pieds des murs surgissaient des sources invisibles. Nous découvrîmes des bassins d'une eau si pure, si bleue, qu'elle ne semblait pas réelle.

Non, cela n'avait rien de menaçant. Il semblait que la ville, avec une douceur toute maternelle, s'ouvrait aux champs et aux collines environnantes et les accueillait dans un échange parfait et ininterrompu.

Hélas, cette sérénité n'était due qu'au bonheur de découvrir ce que l'on avait tant désiré ! Une fantaisie de l'imagination, le souffle languide d'un rêve qui va se dissiper. Je sais aujourd'hui à quel point les pierres sont dures et les ruines l'œuvre haineuse de la violence. J'ai appris combien le calme n'est que l'effet de la soumission et de la destruction.

Et désormais, quand je ferme les paupières et songe à la beauté, au miel et au lait que j'ai cru voir à mon arrivée, des larmes me viennent. Pourquoi, et pour quels desseins, les fleurs les plus magnifiques peuvent-elles receler le plus perfide des poisons ?

Bien qu'Ezra eût envoyé Zacharie et quelques-uns des jeunes dévots à la tête de notre colonne pour prévenir de notre arrivée, on ne nous attendait pas avec beaucoup d'entrain. Après tout, Néhémie avait laissé à Jérusalem la mémoire d'un grand et tumultueux effort, avorté en un terrible échec.

En outre, la ville n'est pas grande et les habitants n'étaient guère plus nombreux que les membres de notre cohorte.

Tu peux imaginer, mon Antinoès, ce que cela put être, pour ceux qui vivaient à Jérusalem, de découvrir notre horde sur les crêtes des collines. Vingt mille hommes et femmes, dix mille chars soulevant la poussière en faisant fuir les troupeaux. Le vacarme d'une nation en route, et ce brouhaha chaotique et impatient s'immobilisant devant leurs murs !

Et nous de chanter et de sonner des trompes pour crier notre joie et notre soulagement d'être arrivés. Une nuit entière à danser, la plus joyeuse qui fut pour moi. Nos cœurs se débandaient comme un arc après que la corde a lâché la flèche. Sans avoir bu un gobelet de vin ou de bière, nous étions ivres de voir enfin notre Jérusalem !

L'aube suivante, il pleuvait. Nous étions rompus de fatigue et avions l'esprit encore enfumé de joie. Mais il nous a suffi de passer la porte des Eaux, comme on l'appelle, pour que chacun d'entre nous prenne conscience de l'ampleur de l'ouvrage qui nous attendait.

À l'intérieur, Jérusalem était tout aussi ruinée que ses murs d'enceinte. La moitié des maisons n'étaient plus habitées. Beaucoup étaient sans toit, à demi calcinées, les murs éventrés. Des odeurs pestilentielles sourdaient des puits comblés. Parfois, les demeures s'étaient effondrées les unes sur les autres et leurs gravats avaient bouché des rues entières.

Ezra hurla de détresse quand les vieux de la ville le conduisirent au Temple. La construction à peine achevée par Néhémie était déjà dévastée. Des fragments de bois noircis rappelaient qu'il y avait eu des portes. L'autel des holocaustes était profané depuis longtemps. Une dizaine de chats aussi sauvages que des tigres avaient établi leur litière dans la vasque fendue où jouaient leurs petits. Un tamaris dévorait le grand escalier de l'entrée. Dans la salle ouverte, d'autres tamaris et un néflier dépassaient des murs, dont le crénelage s'était effondré. Par endroits, on devinait des traces de combats. Des pierres sculptées, des colonnes avaient été brisées à coup de masse. Une herbe drue poussait entre les dalles de marbre et descellait les marches du sanctuaire. Le mur de droite était béant, comme si un monstre l'avait traversé. Quant à la grande cour qui traçait l'enceinte du Temple, les parois n'en étaient plus qu'esquissées et les dalles en disparaissaient sous les immondices.

La nuit suivante ne fut égayée ni de chants ni de danses. Les cris d'Ezra, des lévites et des jeunes dévots emplirent l'obscurité. Ils déchirèrent leurs tuniques, se couvrirent la tête de cendre et prièrent jusqu'à l'aube.

Notre troupe s'en trouva aussi hagarde et désemparée que les habitants de Jérusalem. Quelques vieux se regroupèrent autour d'Ezra pour unir dans une belle ferveur leurs lamentations aux siennes.

Puis, après les pleurs, la rage et l'abattement, il fallut prendre des décisions.

Ezra avait le désir d'entreprendre sur-le-champ la purification du Temple. Nombreux parmi les prêtres et les lévites, Shérévyah, Hashabaya et leurs frères partageaient son avis.

C'est alors que Yahezya a parlé pour la première fois. Il vivait depuis toujours à Jérusalem. Fin et doux de silhouette comme de visage, il nous avait accueillis avec une gentillesse sans réserve. Alors qu'Ezra et les siens débattaient, à sa manière polie, il fit remarquer :

— Je comprends ton impatience, Ezra. Tu es venu pour redresser le Temple. Tu le trouves dans cet état épouvantable et rien ne te paraît plus urgent. Mais regarde autour de toi. Vous êtes des milliers et des milliers, ici, aux portes de Jérusalem. Vous ne savez où monter vos tentes. Sans doute un grand nombre d'entre vous devront aller s'établir dans la vallée qui conduit à Hébron. Cependant, là-bas, la terre est disputée. Crois-tu que les Moabites, les Horonites, que Guersheme et Toviyyah, tous ceux qui sont roi, chef, petits ou grands, autour de Jérusalem, ne s'inquiéteront pas de votre présence ? N'oublie pas, Ezra, que c'est par leurs mains, leur force et leur méchanceté que Jérusalem est devenue cette ruine qui te fait gémir. À cause d'eux, chaque fois qu'une pierre est dressée, elle est abattue aussitôt. Néhémie a souffert par eux. Il les a affrontés. Néhémie est mort. Eux ou leurs fils sont toujours là. Crois-tu qu'ils vous laisseront en paix sous vos tentes alors qu'il sera si facile de vous faire souffrir ?

Les yeux de Yahezya, d'un vert un peu gris, se posaient sur nos visages avec la même modération que sa voix. Malgré la gravité de ses paroles, ses lèvres demeuraient douces et sa voix conservait toute sa patience.

— Peut-être serait-il plus sage de vous bâtir des toits solides, suggéra-t-il. Il ne faudra pas trop de temps, avec le nombre que vous êtes, pour remonter les maisons les moins abîmées. Vous avez des épouses, des mères et des enfants à abriter. Le Temple est impur, mais il l'est depuis longtemps. Yhwh n'a pas d'autre impatience que ta réussite, Ezra. Si Toviyyah vient porter le fer et le sang dans tes tentes, tu n'en seras que plus ralenti.

L'un des jeunes dévots qui suivaient Ezra ricana avec aigreur :

— On voit, Yahezya, que tu vis depuis longtemps dans Jérusalem ! On comprend, à t'écouter, pourquoi le Temple de Yhwh est une immondice. Qui es-tu, pour savoir qu'elle est l'impatience de l'Éternel ? Il nous a conduits ici en tenant Sa main fermement sur Ezra. De quoi es-tu effrayé ? C'est ton Toviyyah qui devrait avoir peur, maintenant que nous sommes là par la force et la volonté de Yhwh !

Bien des têtes opinèrent. Je savais que Yahezya venait de dire le vrai, mais je n'ai pas protesté. N'avais-je pas fait beaucoup pour que chacun pense ainsi ? N'avais-je pas répété à satiété qu'il ne fallait rien craindre mais, au contraire, faire confiance en toute chose à la protection de Yhwh ?

Je me suis tue et Ezra, depuis longtemps, depuis bien avant notre arrivée à Jérusalem, ne se souciait plus de m'écouter. Il me voulait seulement près de lui. La sagesse, en ces jours, n'était pas son affaire. Ni celle de ceux qui se pressaient autour de lui, les louanges à la bouche.

Si le conciliabule fut encore long, la décision ne fut pas une surprise.

Ezra déclara que rien n'était plus urgent que d'entreprendre la purification du Temple.

Comme l'avait prévu Yahezya, il nous fallut dresser des tentes jusque dans la vallée d'Hébron. Après quoi Ezra demanda à tous ceux, prêtres, lévites ou non, qui travailleraient au Temple d'accomplir un jeûne de deux jours, se nourrissant de prières, afin d'être en état de pureté pour entreprendre la tâche qui les attendait.

Mais il en advint, hélas, autrement.

Axatria et moi lavions du linge lorsque Sogdiam vint nous chercher, tout excité. Il nous pressa pour qu'on le suivît jusqu'à la porte des Eaux.

Depuis le matin, Ezra y conduisait le jeûne avec l'aide des prêtres de la purification. Les plus fervents des hommes de notre caravane étaient là, priant avec les prêtres et les lévites, se pressant en rangs si serrés qu'il était impossible de les franchir. Les femmes avaient gravi la petite colline qui faisait face à l'entrée de la ville, de l'autre côté des bassins. Lorsque nous nous sommes mêlés à leur foule, la rumeur d'un événement inhabituel s'était déjà propagée.

Notre position nous permit d'apercevoir les chamelles blanches, les mules blanches et les costumes magnifiques qui venaient de sortir comme par enchantement de la ville. Un murmure venu on ne sait d'où parcourut la foule telle une houle. On nous chuchota, avec un respect qui ne masquait pas la peur :

— C'est Toviyyah, le grand serviteur d'Ammon !

Je reconnus le nom, prononcé auparavant par Yahezya. Certaines autour de nous s'étonnèrent du prodige de ces chamelles et mules blanches qui semblaient être nées dans la ville durant la nuit. Sogdiam expliqua en se moquant gentiment qu'il les avait vues arriver une heure plus tôt par le chemin du nord et pénétrer dans Jérusalem par la porte de Jéricho.

Toviyyah est un gros homme, non dénué de ressemblance avec les eunuques de Parysatis. Il est sans doute plus jeune que sa corpulence et son air perpétuellement insatisfait le laissent à penser. C'est un fils d'Israël, mais, de père en fils, sa maison n'a jamais voulu reconnaître Yhwh pour son Dieu et se soumettre à lui. Au contraire, ils ont profité de l'abandon de Jérusalem après l'exil pour en piller ce qu'il restait de richesses, en sucer les forces et les détourner à leur profit.

Et c'était cette richesse qu'il étalait ce matin-là devant nous avec morgue.

Toutefois, s'il n'était pas bien difficile d'éblouir ceux qui depuis toujours vivaient dans la pauvreté et la déchéance de Jérusalem, son faste nous laissa indifférents. Nous, nous venions de Suse ou de Babylone, du cœur même des trésors du monde.

Sans doute avions-nous, pendant notre voyage, mangé la poussière et acquis l'apparence de gueux. Cependant notre souvenir des palais de Suse-la-Citadelle ou de Babylone n'était pas vieux.

Le gros Toviyyah fit venir une échelle d'argent pour descendre de sa chamelle et demanda qui était Ezra, d'une voix aiguë qui résonna entre les murs des bassins.

Les cheveux couverts de cendre, la tunique ouverte, le précieux étui de cuir du rouleau de Moïse battant contre sa poitrine nue, les yeux de feu, Ezra se présenta devant lui. D'une voix qui nous surprit par son calme, il interrogea :

— Tu me veux ?

Toviyyah roula sa lippe de dégoût. Il tourna autour d'Ezra, jeta un regard de dédain vers les prêtres, lévites et dévots. Ils étaient dans la même tenue qu'Ezra, impressionnants tant on eût cru des hommes qui sortaient directement des ruines nous entourant. Ils vinrent se ranger près d'Ezra, et le gros Toviyyah fut contraint de reculer d'un pas, ainsi que ses gardes. Il cria de sa voix geignarde :

— Il paraît que tu as une lettre du Roi des rois qui vit en Chaldée ! Il paraît que tu entres dans la ville de Jérusalem en brandissant cette lettre et en clamant que tu es ici chez toi ! Il paraît que tu dis que le Temple est ton temple et celui de tes prêtres. Que chacun ici n'a qu'à se soumettre à toi et à ta multitude sous le prétexte que tu possèdes ce rouleau de papyrus !

De là où nous étions, un peu en hauteur, nous entendîmes des voix coléreuses gronder et protester. Mais Ezra leva sa main maigre et réclama le silence. Il tira la lettre d'Artaxerxès de l'étui où il la conservait, avec le papyrus des Lois. Il la brandit sous le nez de Toviyyah, prenant soin cependant de ne pas la lui laisser toucher.

— Tu as raison, dit-il. Voici la lettre d'Artaxerxès le Nouveau, Roi des rois, roi du royaume de Judée. Néanmoins tu as tort. Jérusalem n'est pas à moi, pas plus qu'elle n'est à toi. Le Temple n'appartient pas aux prêtres. Chaque mot qui sort de ta bouche est une souillure. Ici est la ville désignée aux fils d'Israël par Yhwh. Ici sont le Temple et l'autel où le peuple de l'Alliance offre des holocaustes à Dieu. Ici est la terre de Canaan où doivent régner les Lois et la Justice enseignées par Yhwh à Moïse. Et moi, je suis Ezra, fils de Serayah, fils des fils d'Aaron. Si je suis ici pour accomplir cette volonté, c'est que la main de Yhwh est sur moi et sur ceux qui me suivent.

Ce long discours sembla glisser sur Toviyyah comme de l'eau sur des plumes. Il considéra l'immense foule que nous étions et sourit.

— Et tu crois, se moqua-t-il bien fort, toi qui es soutenu par Yhwh, qu'il te suffit de venir ici avec une lettre du roi perse pour que tes désirs s'accomplissent ?

Ezra demeura sans répondre. Le sourire de Toviyyah s'agrandit.

— Jeune fougueux, cette lettre que tu me brandis sous le nez ne vaut rien. Ici, c'est moi, Toviyyah l'Ammonite, qui gouverne et qui décide du bien et du mal. Et ne compte pas sur les armées du Perse pour te soutenir. Elles ne sont pas apparues depuis des lustres.

Ces paroles tombèrent dans un silence de gel qui satisfit beaucoup Toviyyah. Il ouvrit grands les bras, et s'adressa à nous tous de sa voix aigrelette, plus perçante encore lorsqu'il parlait fort :

— Regardez-vous, vous tous ! Vous arrivez dans un pays que les pères de vos pères ont quitté sans avoir été capables de le défendre. Votre dieu les avait abandonnés comme il avait abandonné Jérusalem. Les pères de vos pères sont allés l'oublier l'un et l'autre dans les champs gras de Babylone. Et vous voilà qui revenez en chantant sans rien connaître de la terre de Judée ! Et vous voilà qui revenez en clamant : « C'est chez moi, c'est à moi, c'est moi qui brûle l'encens du Temple ! » Je dis : « Non ! »

Les prêtres et les dévots grondèrent autour d'Ezra, mais mon frère leur ordonna une nouvelle fois de se taire. La colère fit trembler les joues épaisses de Toviyyah. Il pointa le doigt sur les poitrines cendreuses.

— C'est Toviyyah qui décide si les murailles de Jérusalem doivent cicatriser ou pas. C'est Toviyyah, grand serviteur d'Ammon, qui décide ce qui est bon ou mauvais pour le Temple de Jérusalem. Et c'est à Toviyyah qu'on paye l'impôt !

À nouveau, un silence de glace lui répondit.

Nous étions tous trop stupéfaits pour protester. Les mots qu'il prononçait étaient les pires que nous pouvions entendre. Ils nous humiliaient, ils roulaient la vérité dans le mensonge et piétinaient la beauté de notre espérance.

Mais Toviyyah, lui, se réjouissait. Il eut pour nous un sourire gras de mépris.

— Ammon vous souhaite à tous la bienvenue. Il sera heureux de recevoir sa part de votre effort lorsque vous aurez travaillé dans les champs. Car ces champs que vous voyez sous vos pieds, où vous avez dressé vos tentes, ne vous appartiennent pas et ne vous appartiendront jamais. Ici, les Perses ne sont rien. Les soldats d'Égypte et de Grèce les ont fait fuir depuis des lustres. Le seul qui peut vous protéger, c'est moi ! J'ai deux mille hommes d'armes pour ça.

À cet instant une pierre lui frappa la cuisse.

Elle était partie de la main d'Ezra.

Il y eut des cris, un peu de confusion. Les gardes qui accompagnaient Toviyyah voulurent se saisir de mon frère. Les jeunes dévots se précipitèrent en hurlant et les repoussèrent. Les gardes firent mine d'engager le combat, mais un geste de Toviyyah les immobilisa. Lui savait que c'était inutile : ils étaient dix et nous étions vingt mille. Mais il savait aussi qu'il possédait d'autres moyens.

Cependant, emportés par leur fureur, les jeunes dévots poussèrent Toviyyah, et même le soulevèrent jusqu'à sa chamelle, qui blatéra de peur et se dressa si vivement qu'elle faillit le renverser. Toviyyah se rattrapa comiquement à sa selle. Balançant les bras en tous sens, poussant de petits piaillements d'oiseau effrayé, il finit par recouvrer son équilibre... mais à l'envers : il considérait le cul de sa chamelle. La foule entière éclata de rire.

Il faut imaginer cela, Antinoès, mon amour, un rire sorti de dix mille, quinze mille, vingt mille gorges ! Un immense rire de soulagement qui dut résonner jusqu'au Jourdain.

Alors seulement, quand ce rire fut retombé, Ezra rétorqua :

— Tu te trompes encore, Toviyyah. Depuis le jour où Nabuchodonosor est entré dans Jérusalem, ton père et le père de ton père se sont trompés et t'ont enseigné l'erreur. Or, si un homme peut se tromper, un fils d'Israël ne peut pas tromper Yhwh. Tu crois que la missive qui m'a fait venir ici est écrite par Artaxerxès. Que non ! C'est la volonté de Yhwh de rentrer dans Son Temple qui a dicté cette lettre. Tu te trompes encore quand tu crois que nous te craignons. Tu te trompes, car nous sommes sans nul autre besoin que l'aide et la force de Yhwh. Mais tu as bien fait de venir aujourd'hui. Tu le vois, nous avons déchiré nos tuniques et recouvert nos cheveux de cendre car aujourd'hui est le jour de la purification. Aujourd'hui, nous nous préparons à laver le sol de Judée de ses immondices. Et tu en es une.

Blême, du haut de sa chamelle blanche, Toviyyah, avec l'aide de ses gardes, se retourna tant bien que mal sur sa selle. Revenu à l'endroit, il considéra une fois de plus l'immensité de notre foule. Et soudain, il rit. Il fouetta la cou de sa monture et disparut dans la ville en riant. Nous les vîmes un peu plus tard qui trottaient sur la route de Jéricho.

Et nous qui nous étions moqués, nous le regardâmes s'éloigner, paré de ce rire qui nous parut plus menaçant que tous les mots qu'il avait pu cracher.

Non sans raison.

Cette nuit-là, peut-être la quatrième ou la cinquième depuis notre arrivée, la guerre commença.

Les tentes les plus éloignées des murs de Jérusalem furent saccagées. Le sang coula à flots, les hurlements et les lamentations déchirèrent l'air. Les hommes, les femmes, les enfants qui les occupaient furent sans pitié tranchés par l'épée. Des chariots brûlèrent, éclairant la nuit comme en plein jour afin que nous puissions bien voir notre malheur qui commençait.

Il est étrange pour moi de décrire ces événements qui ne remontent qu'à une dizaine de mois, tant ils me semblent déjà lointains.

C'est aussi que des corps tailladés, des femmes courant dans la nuit en serrant contre leur poitrine des enfants déjà morts ou hurlant de douleur, depuis, j'en ai vu tant et tant !

Ce n'est pas que je me sois endurcie. Ne le crois pas, Antinoès, oh, ne le crois pas ! Mais arrive un moment où l'on devient soi-même comme une tombe

240

trop remplie qui ne peut plus accueillir les souffrances de la mort.

Et moi qui n'ai appris véritablement qu'un savoir, celui de donner naissance, j'en ai le vertige de soutenir celles qui écartent les cuisses pour que le sang de la vie coule une fois de plus, alors que notre mémoire est rouge du sang de la mort.

J'ai dû m'interrompre, on me réclamait.

Parfois, la folie de ce que j'écris m'immobilise le poignet. Mon calame ne veut plus avancer sur le papyrus.

Si seulement je pouvais être comme une outre ou une jarre qui déverse son contenu et enfin se vide ! Je te parle, Antinoès, mon époux, pourtant ce que je t'ai déjà raconté demeure en moi !

Peut-être est-ce là l'une des vengeances de Yhwh ?

Se souvenir. Sortir les mots de son esprit afin qu'il n'éclate pas de douleur. Et puis quand même, souffrir encore de se souvenir...

Mais qui sait, peut-être liras-tu ces mots, mon époux lointain, et en toi feront-ils renaître de la tendresse pour Lilah ?

Ce premier désastre conféra du poids aux paroles de Yahezya. Il osa revenir devant Ezra et les prêtres pour défendre ses idées.

Sans renoncer à son calme et à sa douceur, il expliqua que ceux qui nous avaient attaqués durant la nuit n'étaient pas les hommes de Toviyyah.

— Quelles que soit sa haine et sa méchanceté,

Toviyyah n'aurait pas le courage de porter la main sur nous. Il prétend ignorer Yhwh, mais il Le craint ! Hier, Toviyyah voulait obtenir votre soumission contre sa protection. Vous avez refusé l'une et l'autre. Il ne lui a pas fallu longtemps pour faire savoir ici et là que vos richesses étaient à prendre, tel un fruit mûr sur un arbre. Et qu'il ne vous défendrait pas.

— Alors, qui nous a attaqués ? demandèrent les uns et les autres.

— Ceux de Moab, ou les guerriers de Guersheme. Considérant les flèches et les traces que nous avons retrouvées, je dirais : ceux de Guersheme. Le royaume de Guersheme jouxte les terres de Judée le long du Jourdain. Les attaques contre les habitants ont été nombreuses au cours des années passées et au temps de Néhémie. Mais la paix était revenue, car Jérusalem était pauvre et vide.

— Mais nous ne les connaissons pas ! Nous ne pouvons être en guerre contre eux !

— Pourtant, vous l'êtes, assura Yahezya tristement. Vous êtes là sans défense, sans armes, avec des milliers de femmes et d'enfants. Vous possédez des chariots pleins de vêtements, de meubles, de tapis, et même d'or. Pardonne ma franchise, Ezra... Mais vous voici à étaler tout autant votre faiblesse que vos richesses ! Quelle aubaine pour ceux qui n'ont d'autres lois que la rapine et la guerre !

Ces paroles semèrent la stupeur. Je suis bien certaine qu'Ezra n'avait jamais pensé à cela. Comme, en vérité, la plupart d'entre nous, moi y comprise.

Zacharie fut le premier à objecter que nul n'était venu à Jérusalem pour faire la guerre et que Yhwh ne nous attendait pas sur la terre de Judée pour y voir couler notre sang.

— Sans doute, répondit Yahezya. Mais tu parles

ainsi parce que tu ignores ce qu'était Jérusalem. Ces murs que vous voyez ont été redressés par Néhémie. Et Néhémie n'a jamais hésité à engager le combat. Il disait : « Jérusalem se reconstruit la truelle dans une main et l'épée dans l'autre. »

Des protestations s'élevèrent, mais Ezra approuva Yahezya.

— Il dit vrai. Maître Baruch, qui m'a enseigné ce que je sais, m'a fait lire des lettres de Néhémie adressées à Babylone et au Roi des rois. Ce sont ses mots : « La truelle dans une main, l'épée dans l'autre ! »

Et il déclara qu'à partir de ce jour ces paroles seraient aussi les nôtres.

Ainsi commença notre nouvelle vie à Jérusalem.

La purification du Temple fut repoussée. Les uns se mirent au travail pour se bâtir un toit en dur à l'intérieur de la ville, tandis que les autres redressaient les brèches les plus béantes de l'enceinte.

Yahezya conduisit Zacharie et les siens près de Jéricho, chez les forgerons, afin d'acheter des épées, des glaives, des lances. Tout ce qui était susceptible de tuer.

L'entreprise était risquée : les soldats de Toviyyah pouvaient les massacrer aisément sur le chemin, avant même qu'ils se fussent fournis en armes. Pourtant, ils ne rencontrèrent pas la moindre difficulté. Yahezya avait sans doute raison : Toviyyah refusait de reconnaître la force de Yhwh, mais il la craignait tout de même.

Dès leur retour, des groupes d'hommes furent formés, qui apprirent à nous défendre.

Ainsi, avant que les grandes chaleurs de l'été rendent le travail encore plus éprouvant, la ville fut à nouveau peuplée, les rues dégagées et des centaines de champs labourés et semés.

Ce fut également en cette période que naquit une belle affection entre les uns et les autres. L'ouvrage était loin d'être semblable d'une maison à l'autre. On nous donna, à Ezra et à moi, une étroite bâtisse près du Temple. Elle ne nécessita qu'une dizaine de jours de labeur, son toit n'ayant pas été démoli. D'autres exigeaient beaucoup plus. Aussi, sans hésiter, nous nous aidions mutuellement, au gré des besoins.

Durant tout ce temps, Sogdiam transforma un appentis en cuisine commune, indispensable tant que les uns et les autres ne possédaient que de chiches foyers. Des vieilles femmes qui l'avaient pris en affection vinrent l'aider à cuire des centaines de pains, soir et matin. Il les faisait pleurer de rire en racontant quantité d'histoires que je ne lui savais pas connaître. Jour après jour, ils fournirent la nourriture pour un peuple d'affamés qui s'épuisaient à tailler les pierres et le bois, à charrier et à tourner le mortier.

Des hommes en armes accompagnaient ceux qui allaient dans les collines abattre les arbres dont nous avions besoin et tirer des blocs de pierre dans des falaises que les anciens de Jérusalem connaissaient. Hormis quelques bagarres avec des voleurs, il n'y eut plus aucune nouvelle attaque.

Ainsi, en peu de temps la ville redevint vivante. Des enfants couraient dans les rues. Des jardins naissaient ici et là. Des ateliers s'ouvrirent. Ceux qui avaient tenu des commerces à Suse en retrouvèrent la pratique. Un sourire glissait de visage en visage. Des couples venaient voir les prêtres, et parfois même Ezra, pour qu'ils bénissent leurs épousailles. Des enfants naquirent par centaines. Comme les durs travaux s'achevaient, je retrouvai les sages-femmes qui m'avaient appris l'ouvrage des naissances. Chaque jour, j'avais le bonheur fabuleux d'accueillir une ou deux vies entre mes mains.

À la surprise de tous, et même de Yahezya, Toviyyah ne réapparut pas. Il ne chercha pas à s'approcher de

Jérusalem pour mesurer les progrès des travaux sur les remparts.

Des marchands vinrent nous visiter, vendre et acheter. Ils nous assurèrent que l'on parlait beaucoup de nous chez les peuples voisins, mais avec respect et un peu de crainte.

Nous en conclûmes que notre détermination intimidait. Les prêtres crièrent les louanges d'Ezra, car la main de Yhwh était toujours fermement tendue au-dessus de lui.

Ainsi, pendant un bref moment, une lune peut-être, nous retrouvâmes l'ivresse de l'insouciance, le plaisir de la mission que nous nous étions imposée.

Un matin, nous nous réveillâmes au son des plaintes qui s'élevaient dans la ville. Sogdiam m'apprit que le temps était venu, qu'Ezra lançait le jeûne de la purification du Temple.

Prêtres, lévites, tous ceux qui répondirent à son appel se retrouvèrent devant les ruines de l'autel des sacrifices. Ils y déchirèrent leurs vêtements à grands cris. Une nouvelle fois, ils se couvrirent de cendre.

Les prières résonnèrent encore toute une journée avant qu'Ezra donnât l'ordre de nettoyer les immondices de la cour entourant le Temple.

Ils enlevèrent une à une les pierres souillées. C'était une tâche de colosse. Dans un charroi qui dura de l'aube au crépuscule pendant neuf jours, ils les déposèrent en dehors de la ville, dans un lieu impur que les anciens prêtres avaient désigné à cet effet.

À coup de masse ils démolirent l'autel des holocaustes. Selon la Loi, ils en érigèrent un nouveau avec des pierres brutes tirées des collines.

Après quoi, les vieux qui avaient connu l'ouvrage de Néhémie vinrent voir Ezra et lui dirent :

— Il faut le feu de *nephta* !

Ils menèrent Ezra à un puits que nul n'avait découvert, car un amas des ruines irrécupérables avait été entassé dessus. Une fois les gravats dégagés, on découvrit le couvercle du puits en bon état. Et au fond, au lieu d'eau, une mélasse puante et noire.

Les vieux expliquèrent à Ezra qu'il devait enduire le sol du Temple avec cette mélasse avant de le reconstruire.

— Et comment le reconstruirai-je proprement une fois que cette poix collante sera partout ? protesta Ezra.

Les vieux rirent et répondirent :

— Laisse faire Yhwh, laisse faire le soleil !

Ainsi fut fait. Ils répandirent cette puanteur à pleins seaux sur ce qui restait du vieux bois et sur les dalles de marbre disjointes.

L'air de la nuit fut irrespirable sur des lieues aux alentours du Temple et nous étions nombreux à nous inquiéter de bientôt ne plus pouvoir respirer. Cependant, quand le soleil frappa le Temple au matin, la mélasse se liquéfia. Elle fuma un peu avant de devenir aussi brillante qu'un or noir. Pendant un instant, tout resplendit. Puis, dans un aboiement assourdissant, une flamme bleue jaillit.

Les vieux crièrent de joie en dansant et chantant :

— Nephta ! Nephta, l'aboiement de Yhwh !

Un instant plus tard, le feu avait disparu, les dalles de marbre étaient sèches et pas plus chaudes que si le soleil seul les avait brûlées.

Ce fut un spectacle si merveilleux et si étonnant que les enfants coururent des jours entiers dans les rues de la ville en imitant l'aboiement de Dieu !

Ezra et les siens reprirent leur labeur. Ils fabriquèrent de nouveaux objets sacrés remplaçant ceux qu'ils n'avaient pas apportés. Les lévites introduisirent le chandelier dans la salle sacrée, montèrent une nouvelle table sur laquelle ils firent brûler de l'encens et fabriquèrent de nouvelles lampes pour illuminer le Temple. Les menuisiers travaillant sous leurs ordres achevèrent les portes, les portiques, les couronnes recouvertes d'or et les écussons qui en décoraient la façade. Enfin, un jour du mois d'av, Ezra déclara que le Temple était pur et pouvait accueillir nos chants.

Trois journées et deux nuits nous chantâmes à pleine voix, les larmes ruisselant sur les joues des plus endurcis. Les rues vibrèrent du son des lyres, des cithares et des cymbales.

Il y eut un formidable holocauste, semblable à celui qui avait précédé notre départ de Babylone. La fumée monta et recouvrit les toits tout neufs de Jérusalem.

Le feu était encore si intense dans la nuit que nous ne comprîmes pas immédiatement ce qui se passait lorsque d'autres cris et d'autres flammes jaillirent à l'autre bout de la ville.

Dehors, devant les murailles, une troupe de Guersheme galopait en hurlant. Ils étaient cinq ou six cents et formaient un serpent de feu dans les champs et les collines. Soudain, ils lancèrent une pluie de flèches enflammées dans le ciel.

Ce fut d'abord étrangement beau. Cela ressemblait à un ciel d'étoiles mouvantes. Mais l'orbe qu'elles traçaient retomba sur le chaume de nos toits.

D'autres flammes montèrent. D'autres cris, d'autres hurlements retentirent.

Au matin, plus de la moitié des maisons qui venaient d'être rétablies étaient en cendres.

*
**

Yahezya avait raison.

Du sang, du feu, des larmes. Voici ce qu'est Jérusalem pour nous.

247

Les larmes, Ezra en mouillait ma tunique. Des larmes, des cris, de la fureur, il en avait trop pour les montrer en public. Après le désastre de la nuit, il accourut vers moi comme un enfant perdu.

Moi, je fus sidérée par le corps que j'enlaçais. Ezra était devenu si frêle que j'aurais pu le soulever. Croyait-il que seul son esprit, seul son amour fiévreux pour Yhwh pouvaient le faire vivre ?

Peut-être.

Mais il était également en colère contre son esprit et même, sans oser l'avouer, contre Yhwh. Il se frappait le front avec l'étui de cuir du rouleau de Moïse. Il demandait à en perdre le souffle :

— Lilah, pourquoi Yhwh nous inflige-t-Il ce malheur ? Où est notre faute ? Le Temple n'est-il pas purifié ? Ne respectons-nous pas chaque règle, pas à pas ? Pourquoi nous laisse-t-Il dans une pareille impuissance ? Lilah, quelle est notre faute ?

Comment aurais-je pu répondre ? La ville entière pleurait, tout comme lui, sans comprendre. Les uns éteignaient les incendies, les autres soignaient les blessés. Partout, on se lamentait sur les morts.

Moi, je n'avais pas le goût de trouver une explication.

Si chacun se demandait quelle faute nous avions commise, moi, je commençais à craindre de m'être trompée en poussant Ezra sur le chemin de la Judée. Je songeais que, si l'un ou l'une d'entre nous devait, en ce jour, plier les genoux sous le poids de la responsabilité, je serais celle-ci.

Je repoussais cependant cette pensée terrible.

Comme chacun ici, je voulais puiser ma résistance dans la colère. Je voulais encore trouver en Ezra la force, la justice qui nous faisaient défaut afin que Yhwh pût enfin nous récompenser.

Alors, il ne me restait plus qu'à soutenir Ezra de mon mieux.

Il était épuisé par les jeûnes répétés. Ses mains n'étaient que plaies et sang d'avoir tiré et charrié des pierres sans répit. Des échardes de bois, mêlées à la cendre dont il s'était recouvert, infectaient sa chair. Ses épaules étaient parsemées de bubons purulents. Ses pieds étaient en charpie.

Cependant, les plaies de son corps n'étaient rien comparées au désordre de son esprit. La tension endurée durant la purification du Temple avait été terrible. Les prêtres nouveaux, ceux qui étaient venus avec nous, les lévites et les dévots, tous cherchaient à capter sa volonté et à influencer ses décisions. Tous possédaient des opinions solides, mais divergentes. Chacun pouvait argumenter du crépuscule à l'aube, vous jetant dans un labyrinthe de mots dont on ne savait plus, après les avoir écoutés, ce qu'ils signifiaient.

Tous se voulaient savants et plus malins que les autres. Ils citaient sans cesse les leçons des Patriarches ou des Prophètes. Quelque temps avant la purification du Temple, les prêtres anciens, demeurés à Jérusalem après la mort de Néhémie, avaient dévoilé avec réticence et fierté une cave, bien dissimulée à l'autre bout de la ville.

Ils y avaient, en dépit de tous les pillages, conservé des centaines de rouleaux de papyrus et même quelques tablettes d'époques depuis longtemps révolues. Selon eux, aucune décision ne pouvait se prendre sans se plonger dans les avis des sages d'autrefois. Mais les sages de jadis avaient eu, eux-mêmes, des avis opposés... Alors, les épuisants débats recommençaient, plus compliqués qu'avant.

Nul n'était plus en mesure d'imposer des décisions qui conduiraient et régleraient notre existence. Et, en ce jour de deuil, il y avait une seule chose dont je pouvais être certaine : nous étions venus à Jérusalem avec le désir de lumière et voilà que nous avancions dans l'obscurité. Nos ténèbres iraient croissantes tant qu'Ezra ne retrouverait pas la puissance de son esprit et ne serait pas en état de décider en toute quiétude.

J'ordonnai à Axatria et à Sogdiam de verrouiller la porte de notre maison, de préparer des tisanes et de la nourriture.

Il me fallut déployer beaucoup d'efforts pour qu'Ezra acceptât de se nourrir. Les tisanes d'Axatria firent merveille. Il s'endormit d'un sommeil qui dura deux jours.

Tout le temps de son repos, je dus me défendre contre la fureur des dévots et des prêtres. Ils ne supportaient pas que je soustraie Ezra à leurs soins. Ils crièrent et ameutèrent tous ceux qui leur prêtaient une oreille complaisante.

Les prêtres voulaient prier sans discontinuer dans le Temple purifié. Pour une raison obscure, ils ne le pouvaient sans Ezra. Les lévites voulaient que mon frère nommât leurs tâches et, selon la Loi et les écrits de David, désignât leurs places et leurs rangs. Notre maison fut cernée, ce qui, par chance, ne réveilla pas Ezra.

Comme je ne cédais pas, ils en conclurent que je menais des œuvres malsaines contre eux. Je laissai dire. Mais les esprits étaient chauffés à blanc. La crainte du retour des guerriers de Guersheme attisait la colère.

Et moi je leur disais :

— Attendez seulement demain. Accordez-lui un peu de repos ! Vous le tuez à la tâche. Où irez-vous, derrière son cadavre ? Ne pouvez-vous comprendre la patience de Yhwh ?

Mes mots soulevaient les protestations comme le vent tire des flammèches d'un feu.

— De quoi te mêles-tu, fille ? me répliquait-on. Ezra devrait être dans le Temple pour apaiser la colère de Yhwh et toi tu te mets en travers ? De quel droit ? Ce n'est pas notre exigence qui épuise Ezra, c'est la sottise de ceux qui te ressemblent et sont incapables d'entendre la colère de Yhwh. N'as-tu pas conscience que tu fais le jeu de Toviyyah, de Guersheme ? Tu fais le lit de tous ceux qui bavent de haine contre Israël ! Tu vas faire périr Ezra, et nous avec !

La violence montait vite avec les mots. Sogdiam était impuissant à me protéger. Ceux qu'il avait nourris avec dévouement durant des semaines le traitaient aujourd'hui de bancal, de vaurien, de *nohkhri*, d'« étranger », en le bousculant. Il fallut que Yahezya et quelques-uns de ses amis viennent se placer devant ma porte avec leurs armes pour qu'on nous laissât en paix une nuit de plus.

Mais enfin, après un bon repas, après qu'Axatria eut enduit son corps pitoyable de pommades et d'huiles, après qu'elle eut prodigué des massages à ses épaules rompues, Ezra apparut en meilleur état.

Pourtant, quand je lui racontais en riant comment nous avions dû défendre son repos bec et ongles, et sous les insultes, il ne s'en amusa pas.

D'abord, il voulut se précipiter, comme s'il était en faute. Je le retins : cela pouvait attendre encore un peu. Je le suppliai de réfléchir en paix avant d'être happé par le tourbillon des cris et des désirs incompatibles. Il céda avec un soupir, découragé.

— Ils ont raison d'être en colère. Lilah, quelque chose ne va pas dans ma manière de conduire les choses. Voilà le Temple à peine purifié et nos maisons sont déjà détruites ! Nous sommes à peine à Jérusalem, et voilà déjà que cela recommence comme au temps de Néhémie ! Demain, nous remonterons les maisons abattues hier, mais, la nuit suivante, Guersheme ou les

Horonites attaqueront le Temple. Ou ruineront les remparts, détruiront nos récoltes dans les champs... Ils s'en prendront à n'importe quoi, pourvu que ce soit une part de nous. Toujours et encore ! C'est sans fin, car Yhwh n'est pas avec nous. Je l'ai cru, pourtant, mais Il n'est pas avec nous ! L'Alliance est toujours rompue, et voilà quelles en sont les conséquences.

En parlant, il pétrissait l'étui de cuir noué à son cou. Ses yeux cherchaient dans les miens une consolation, une confiance que j'étais incapable de lui donner. La tristesse tordait son cœur et j'étais bien impuissante à combler son attente.

Ce qu'il venait de dire, je le pensais exactement.

Il demanda encore, les larmes aux yeux :

— Lilah ! Lilah, ma sœur bien-aimée, que dois-je faire afin que Yhwh nous juge assez purs et assez bons pour nous accorder à nouveau Sa force ?

Je n'eus que du silence à la bouche.

Il se figea.

Il eut une drôle de grimace et me regarda sans me voir. Je vis les muscles de son cou se tendre. Je m'attendais à le voir courir d'un bout à l'autre de la pièce, comme il le faisait dans la colère ou l'excitation. Mais, d'un coup violent, il arracha le lien qui retenait l'étui de cuir à sa nuque. Il tendit l'étui du rouleau de Moïse et le pressa brutalement contre ma poitrine. D'une voix sourde, vibrante comme un tronc sous le vent, il gronda :

— Tout ce que nous devons savoir se tient là, dans ce rouleau. À quoi bon ces murs ? Yhwh se moque de nos murs ! Nous perdons notre temps à monter des maisons qui disparaissent sous les incendies ou dont les pierres en ruine nous écrasent la tête ! Yhwh se moque de nous. Il n'attend pas que nous devenions des maçons ! Il nous met à l'épreuve, inlassablement, afin que nous entendions enfin Sa parole. Ses Lois et Ses règles, oui, voilà Sa volonté. Et nous, nous allons en nous lamentant : Pourquoi ? Pourquoi ? La réponse, je l'ai énoncée à Suse, et elle demeure la même : Parce que nous ne vivons pas selon la règle !

Je souris. Je comprenais.

Je saisis ses poignets et murmurai calmement :

— Maître Baruch disait : « La parole de Yhwh est dans la Parole de Yhwh. Nulle part ailleurs. » Il aimait répéter les mots d'Isaïe : « *Écoutez la Parole de Yhwh ! À quoi bon ces holocaustes de béliers, ce graillon de veau gras, ce sang de taureaux, de boucs, n'en jetez plus de ces offrandes creuses.* » Tu as raison. Les murs, c'était Néhémie. La justice, l'enseignement de la justice de Yhwh, la Parole, c'est Ezra.

Il sourit. Son corps frêle vacillait de joie comme il avait vacillé de fièvre un peu plus tôt.

— Oui, oui ! À quoi bon ces murailles d'or et cet encens, si la Parole de Yhwh tombe dans des oreilles bouchées et des yeux aveugles ?

J'ai renoué le lien de l'étui de cuir pour le repasser à son cou en disant :

— Enseigne à tous ce qui est écrit dans le rouleau. Toi seul le peux. Si c'est Ezra qui l'ordonne, chacun l'acceptera.

Il s'assombrit aussi vite qu'il s'était réjoui.

— Comment le pourrais-je ? Plus de la moitié de ceux qui nous ont accompagnés depuis Suse et Babylone ne savent ni lire ni écrire. Quant à ceux qui vivaient dans Jérusalem avant notre arrivée, c'est pis encore.

— Chacun est capable d'apprendre à lire et écrire.

Il hésita, puis se moqua durement :

— Ne rêve pas, Lilah. À Jérusalem, les rêves font couler le sang.

— Je ne rêve pas. Que tous ceux qui savent lire et

écrire l'enseignent aux autres. Que chacun copie une partie du rouleau de Moïse. Ils apprendront la Parole de Yhwh en l'écrivant.

Il hésita. Il se tut. Il ferma les yeux et eut ce sourire lumineux que je ne me souvenais pas d'avoir vu sur ses lèvres depuis longtemps, très longtemps.

Il finit par murmurer :

— Le Temple de la Parole de Yhwh glissera dans leurs cœurs. Nul ne pourra l'incendier ni le réduire en ruine. La joie de Yhwh sera la forteresse de Son peuple. Et le peuple de Yhwh sera, jusqu'à la fin des temps, le peuple du Livre.

Et c'est ainsi que cela se fit.

Non sans réticence ni difficulté.

De nombreux prêtres considérèrent qu'il serait impur de faire recopier le rouleau de Moïse par des mains non désignées par les tablettes du roi David. Les lévites écoutèrent eux aussi la proposition avec horreur. Comment Ezra pouvait-il songer à délaisser le Temple, ne fût-ce que pour une brève période ?

Rapidement, naquit la pensée que cette mauvaise idée était la preuve de mon influence maléfique. Voilà pourquoi j'avais tenu Ezra loin du Temple, profitant de sa faiblesse. Et lorsque Ezra cita Isaïe, ils citèrent Jérémie : « *Voici que viennent les jours où Je ferai entendre le cri de guerre chez les fils d'Ammon, ses villes et ses filles seront incendiées pour qu'Israël hérite de ses héritiers.* » Selon eux, il fallait porter la guerre contre Toviyyah. Telle était la volonté de Yhwh.

Néanmoins Ezra tint bon. Il ordonna :

— Qu'on se mette au travail. Le premier jour du septième mois, toute la ville, hommes et femmes, époux et épouses s'assembleront devant la porte des Eaux. Et tous liront d'une même voix les lois que Yhwh a enseignées à Moïse.

Après un malheur et tandis que l'on guette l'émergence d'un autre drame, on ne le croit pas, on ne l'attend jamais, pourtant le bonheur pour un temps peut apparaître.

Et ce fut le bonheur qui apaisa Jérusalem, glissa de ruelle en ruelle, de maison en maison, alors que les têtes se penchaient sur les lettres, les mots, les phrases.

Un chant de bonheur ondoyait sur la ville tandis que les uns guidaient la main des autres afin que les calames progressent sur les papyrus.

Un chant de bonheur palpitait dans les foyers, quand, après avoir appris l'alphabet, le père et la mère s'amusaient à le réciter le soir à l'enfant afin qu'il en nourrît ses rêves.

Grands et petits, savants et médiocres n'existaient plus. Demeurait la volonté de tout un peuple d'être fort dans son savoir, ses mots et la grande Parole que l'Éternel lui offrait. Régnait le murmure d'une nation qui faisait glisser sur ses lèvres le chuchotement de la mémoire comme l'amoureux y glisse les pétales du nom de la bien-aimée.

Oh, Antinoès, mon époux, tu aurais aimé ce temps !

Il était lait et miel. Le temps de l'abondance en terre de Judée ! Nous étions ensemble, soudés par une bonne raison. Nous étions tous, hommes et femmes, vieux et jeunes déchiffrant les mêmes lettres, prononçant les même mots, chacune, chacun avec le même désir de justice.

Plus personne ne grondait. Plus personne ne chicanait.

Et peut-être que la main de Yhwh était fermement tenue sur nous, car nous n'entendions plus parler de

Toviyyah, de Guersheme, des Horonites et du mal qu'on nous voulait.

Et moi, Antinoès, j'ai de nouveau tout espéré. Mes doutes se sont effacés. Nous avions eu raison de vouloir le départ d'Ezra. Le prix de notre séparation valait sa récompense. En mon cœur, l'humiliation de Parysatis recueillait son baume.

Pour la toute première fois depuis mon arrivée à Jérusalem, j'étais en paix. Je baignais dans cette folie qui s'appelle le bonheur et l'espoir.

Je me suis imaginé que, oui, j'allais pouvoir tenir ma promesse. Bientôt, chacun connaîtrait les règles de Yhwh et saurait vivre selon Sa justice. Bientôt, l'Éternel renouerait Son Alliance avec Son peuple, et la paix et la joie bourdonneraient dans les maisons de Jérusalem comme le murmure de la lecture.

Alors, j'aurais accompli mon devoir. Je pourrais reprendre la route de Suse, de Karkemish ou de l'autre bout du monde pour te rejoindre.

*
**

Ainsi que l'avait voulu Ezra, le premier du septième mois de l'année, les cornes de bélier soufflèrent sur le parvis du Temple. En écho, d'autres lui répondirent à travers tout le pays, de la Galilée au Néguev. Nous nous retrouvâmes trente ou quarante mille devant la porte des Eaux. Nous étions si nombreux, si serrés que la terre ressemblait à un tapis de fleurs humaines éblouissant de couleurs.

Ezra et les prêtres gravirent les marches qui menaient sur les remparts. Le soleil n'était pas encore haut. Il y avait un peu de fraîcheur et les hirondelles se gorgeaient des insectes du matin en piaillant.

Et puis, ce fut le silence. Le vrai silence.

Sur Jérusalem, sur toute la Judée. Ceux qui étaient là pourront le jurer jusqu'à la fin des temps. Un silence qui n'appartient qu'à l'Éternel s'est posé sur Sa nation à cet instant.

Ezra a sorti le rouleau de Moïse de son étui. Dans le silence, chacun a pu entendre le crissement du papyrus contre le cuir.

Ezra a déployé le rouleau. Il en a déposé une extrémité entre les doigts de l'un des vieux prêtres. Il a déroulé le papyrus en son entier. Cinq ou six coudées, peut-être.

Dans le silence les quarante mille ont entendu le craquement du papyrus qu'avait un jour touché le doigt d'Aaron. Ont entendu le frottement des sandales d'Ezra sur les pierres du rempart.

Il n'y avait plus d'hirondelles dans le ciel. Seulement le bleu et les pierres blanches de Jérusalem la belle.

Le doigt d'Ezra s'est posé sur le papyrus.

Ma gorge s'est séchée. Le doute a clos ma bouche et a éteint mon souffle.

Si c'était folie ?

Si la volonté d'Ezra de faire du cœur d'un peuple le cœur d'une parole était encore une fois la folie d'un rêve ?

Était-il possible que ces milliers d'êtres deviennent le peuple de ceux qui lisent le Livre, de ceux qui font leur Temple de la Parole de Yhwh ?

Puis Ezra nous a regardés. Sa bouche s'est ouverte sans prononcer un son. Mais à la place, une seule voix, faite des milliers de voix de femmes, des milliers de voix d'hommes, une voix soufflée par les vieilles bouches comme par les jeunes bouches a lancé les premiers mots dans le ciel :

Premiers,
Yhwh crée le ciel, crée la terre
Terre vide de solitude
Noir au-dessus des abîmes,
Souffle de Yhwh
Mouvement du dessus des mers.

Il y eut un tremblement dans les voix. Il y eut, peut-être, un tremblement dans le ciel bleu, dans la pierre blanche et dans le doigt d'Ezra.

Puis sa main a de nouveau glissé sur le papyrus, pointant les lettres suivantes : « *Yhwh nomme la lumière* ». Alors les quarante mille, de la même voix, ont continué la lecture.

Tout Jérusalem a tremblé. Toute la Judée a tremblé.

La lecture est devenue un chant. Jusqu'au milieu du jour, jusqu'au moment où nous étions comme assis sur nos ombres, nous avons lu. Et chacun connaissait les paroles du texte.

À la fin, la joie a débordé. Nous dansions, nous riions, nous pleurions tout à la fois.

Ezra a crié :

— Ce jour est celui de Yhwh notre Dieu. Pas un jour de larmes ! Pas de larmes ! Allez donc manger sans vous retenir, buvez du vin doux, mangez de la chair grasse, ce jour est celui de Yhwh ! La joie de Yhwh est désormais sur votre forteresse et nul ne vous en chassera ! Ouvrez les yeux, ouvrez les rouleaux de l'enseignement et vous y trouverez, pour toujours, votre Temple. Votre Temple sera désormais la Parole et l'enseignement de l'Éternel : le Livre. Demain, allez dans les collines ramasser des branches. Demain, construisez des cabanes dans vos maisons, sur les places publiques. Construisez-en partout. Asseyez-vous dans vos cabanes et lisez l'enseignement de Yhwh.

Vous verrez qu'il n'est nul besoin de murs pour lire les règles et les lois de notre Alliance avec l'Éternel. Dans le Livre, vous serez plus en sécurité que partout ailleurs. Et nul ne vous en chassera. La Parole de Yhwh est une forteresse.

Et moi, j'ai ri et dansé comme mes quarante mille compagnons. Le soir, j'ai dansé dans les bras de Yahezya, dans les bras de Baruch, de Guershom, de Jonathan, d'Ackaz, de Manassé, d'Amos... Il y avait tant de noms, tant de bras avec lesquels une jeune fille, une jeune épouse, une jeune veuve du nom de Lilah pouvait danser !

La solitude nous avait quittés. Nous avons bu du vin, mangé de la chair grasse, joué de nos hanches et gonflé nos poitrines, nous, les milliers d'épouses.

Nous avions lu comme les hommes, toutes unies. Épouses filles d'Israël, épouses des fils d'Israël. Toutes unies, sans distinction. Toutes des épouses et des mères.

C'était la dernière fois.

Ezra dit vrai, la joie de Yhwh est une forteresse.

Cela s'est passé ainsi, trois jours après la lecture et la fête qui s'en est suivie. Chacune et chacun étaient dans les rires, construisant les cabanes et y chantant la lecture.

Les prêtres, les lévites, ceux qui se nomment les princes du Temple, sont venus devant Ezra.

— Tu vas partout criant que Yhwh est en joie grâce à nous. Tu te trompes. Nous, nous te disons que Yhwh est en fureur. Nous te prévenons que bientôt ceux qui nous haïssent nous frapperont plus durement que jamais. Ils sont déjà dans la place. Ils sont dans Jérusalem et dans tes cabanes.

— De quoi me parlez-vous ? s'étonna mon frère.

— Comment veux-tu enseigner la Loi si la Parole de Yhwh n'est pas respectée ? Comment les fils d'Israël peuvent-ils atténuer le courroux de Yhwh si la première de ses instructions n'est pas appliquée ? Ouvre les yeux, Ezra. Regarde les visages, écoute les langages. Les peuples qui nous entourent et qui vivent en abomination avec les règles de Yhwh ont marié leurs filles à nos fils ! Voilà ce qui est.

D'autres clamèrent :

— Ezra, sous les toits de Jérusalem, l'impur se mélange sans discrimination aux fils d'Israël. L'impur se mêle à nous. Pis encore, il se reproduit telle une nuée. Les Jébuéens, les Ammonites, les Moabites, et combien d'autres encore, tous ceux qui tournent autour de Jérusalem ont donné leurs filles aux hommes de Jérusalem ! Leurs nouveau-nés remplissent nos couches depuis le départ de Néhémie ! Et toute cette engeance va et vient dans les rues de Jérusalem comme s'ils étaient fils d'Israël ! Bientôt, ils seront en âge, eux aussi, de mêler leur souche impure à celle du peuple de Yhwh. Notre anéantissement est prévisible. Et toi, Ezra, tu voudrais que Yhwh ressoudât Son Alliance avec nous ? Qu'Il étendît Sa main sur toi ?

Je n'étais pas là. Un enfant, justement, naissait pas bien loin de notre maison et l'on m'avait appelée. Mais on m'a raconté l'événement en détail.

En entendant ces mots Ezra se précipita sur les marches du Temple. Là, il réduisit ses vêtements en loques. Sa tunique, son manteau, il les a déchirés comme si vingt mains l'empoignaient. Il a réclamé un couteau. Sous les yeux des prêtres, des lévites et des dévots, il s'est rasé.

Rasé la tête, rasé la barbe. Son crâne nu et ses joues nues, blêmes comme si la lèpre les recouvrait.

Après quoi, il s'est assis sur les marches du Temple et n'en a plus bougé. Il est demeuré ainsi, prostré. La bouche close, les yeux fixes, les mains immobiles.

Ceux du Temple ont ameuté la foule. On est venu de partout voir Ezra et pousser des cris devant sa tête lépreuse. On l'a supplié de parler, de proférer une parole.

Mais il est demeuré cloué dans le silence. Les prêtres s'occupaient de crier autour de lui à sa place :

— Ezra est nu devant la Parole de Yhwh ! Ezra craint Yhwh ! Ezra porte toute l'infidélité de ceux de l'exil sur sa tête !

C'est à ce moment que j'ai rejoint la foule.

Je l'ai vu de mes yeux, recroquevillé sur les marches, le visage défait. Les yeux durcis par la tristesse. Il n'avait plus de bouche, seulement deux traits comme taillés par un glaive.

Il ne voyait rien, ne regardait rien. Ou peut-être ressassait-il des pensées très anciennes. Des pensées du temps où nous étions enfants qu'il s'apprêtait à briser comme on brise les promesses. Oui, je l'ai pensé.

J'ai pensé aussi que je ne le reconnaissais plus. Qu'il n'était déjà plus celui que j'avais serré en larmes contre moi quelques jours plus tôt.

Mon frère s'en était allé. Il avait disparu, et avec lui s'étaient évanouis sa belle bouche et ses yeux d'espérance.

Ou était-ce la pâleur de son crâne et de ses joues qui m'ont fait songer à cela ?

À l'offrande du soir il s'est dressé d'un coup dans ses loques. Alors, la foule autour du temple est devenue silencieuse.

Un silence effrayant.

Et maintenant que je l'écris, j'ai peur une fois encore. Ma main est lourde des mots qu'elle va coucher sur le papyrus.

Ezra va devant l'autel. Il s'avance devant la belle vasque toute neuve, purifiée depuis peu. Nous retenons notre souffle. Même les prêtres et les dévots se taisent. Eux aussi sont envahis de crainte. On le voit dans leurs yeux et le poing qu'ils serrent sur leur bouche.

Ezra se laisse tomber à genoux. Il tend les paumes vers Yhwh. On l'entend qui geint. D'abord ce ne sont pas des mots, seulement des gémissements. Puis il lance vers le ciel :

— Mon Dieu, j'ai honte ! Je suis confus de lever mon visage vers Toi, car nos fautes n'en finissent pas, nos offenses montent vers Toi jusqu'au haut du ciel ! Depuis les jours de nos pères et jusqu'à aujourd'hui nous sommes grandement coupables. C'est à cause de nos fautes que nous avons été livrés aux mains des rois étrangers, à l'épée, à la captivité. À l'humiliation, comme aujourd'hui encore ! Nous avons déserté Tes commandements, édictés par Tes serviteurs et Tes pro-phètes. Pourtant ils ont dit : « *La terre dont vous héritez est impure, souillée par les peuples environnants et les horreurs dont ils l'ont nourrie. Vos filles, vous ne les donnerez pas à leurs fils. Leurs filles, vous ne les marie-rez pas à vos fils !* » Voilà quelle est Ton instruction. Après tout ce qui nous est arrivé par notre inconduite, allons-nous encore rompre avec Tes ordres, Yhwh ? Allons-nous nous allier à ces peuples et à leurs abomi-nations ? Comment ne Te mettrais-tu pas en colère jusqu'à anéantir ce qui reste de nous ? Yhwh, Dieu d'Israël, nous voici devant Toi dans notre faute. Et nous ne pourrons nous tenir droits tant qu'elle ne sera pas réparée. Ô, Yhwh, impossible d'être droit devant Toi tant que le pur ne sera pas séparé de l'impur.

*
**

C'est au cours de ce jour, et encore durant la nuit et le lendemain que les dévots ont couru à travers les rues en frappant aux portes des maisons.

Toi, tu es pure. Toi, tu es impure.

Toi, tu es fille d'Israël. Toi, tu ne l'es pas.

Tes enfants sont impurs, quitte cette maison, quitte Jérusalem ! Allez, allez, tu n'es plus l'épouse de cet homme.

Séparez-vous, séparez-vous !

Faites vos baluchons, allez-vous-en ! Il y a trop long-temps que vous souillez nos rues et notre terre !

Ils tiraient, ils poussaient. Ils attrapaient les petits et les jetaient à la rue. Ceux au berceau, ils les mettaient aussi dans la rue. Les grands, ils les tiraient par les cheveux. Allez, allez, qu'on ne vous voie plus !

Les femmes criaient qu'elles étaient des épouses aimantes. Pourquoi me chasser, je suis dans son amour depuis des années ? Je vis à Jérusalem depuis toujours ! J'ai lu avec les autres devant Ezra, à la porte des Eaux ! Quelle est ma faute ?

Elles pleuraient qu'elles avaient fait tout le chemin depuis Suse avec Ezra. J'ai mené le jeûne, j'ai recons-truit les murs des maisons de Jérusalem, j'ai bâti de ma main une cabane dans le jardin pour y lire les ensei-gnements de Yhwh. Où est ma faute ?

Les mères criaient en arrachant leurs nouveau-nés des mains des dévots. Mon enfant, mon enfant, que deviendras-tu sans père ?

Les garçons et les filles sanglotaient de terreur, les mères suppliaient :

— Regardez-nous, nous n'avons pas d'autre mai-son, pas d'autre toit, pas d'autre famille. Où voulez-vous que nous allions sans époux, sans père ?

Toutes elles demandaient :

— Pourquoi nous chasser comme si nous incarnions

le mal ? Nous avons aimé un fils d'Israël, nous l'avons chéri et caressé, où est le mal ? Notre amour est-il un mal ? Pourquoi nous piétiner ?

Les époux et les pères se taisaient. En grand nombre, ils se taisaient.

Presque tous, ils baissaient le front de honte. Ils se cachaient les yeux derrière les mains. Ils couraient se prosterner au Temple pour se faire pardonner.

C'était un jour de fin d'été, un jour de chaleur où les hirondelles ne volent qu'à l'approche du crépuscule, pourtant un vent glacial soufflait dans les rues de Jérusalem.

Et s'il est des époux et des pères qui voulurent défendre ceux qu'ils aimaient, ceux-là, on les battit pour qu'ils se taisent et que leur honte monte avec le sang des coups.

Les épouses, les fiancées, les veuves, les fils et les filles, on les poussa vers les murs de l'enceinte. Rue par rue, avec des bâtons on les poussa.

Deux jours durant.

D'abord, des cris sans fin s'élevèrent. Puis ils firent place à la résignation.

Les unes empruntaient une direction, les autres partaient dans le sens opposé. Aucune ne savait où aller. Elles s'inquiétaient de leurs maigres balluchons, des enfants agrippés à leur tunique, des plus grands qui portaient les bébés.

À la porte des Eaux, où nous avions formé un tapis de fleurs humaines quelques jours plus tôt, s'écoulait le sang noir et puant de la honte.

Et nous, les fils et les filles d'Israël, nous étions sur les murs à les regarder s'éloigner. Dans l'effroi, incrédules.

La douleur n'était pas encore là. Seulement la stupéfaction.

Ainsi l'impureté s'écoulait loin de nous et Yhwh allait être satisfait ?

Vers le soir du deuxième jour, quelques garçons et filles revinrent en courant sur la route de Jéricho. Ils couraient vers Jérusalem en criant le nom de leurs pères. Des enfants de huit ans, de dix ou douze ans. Parfois plus. Une centaine d'enfants, filles et garçons. Courant vers les portes de la ville sur la route blanche de poussière.

Alors, sur les murs de Jérusalem, des mains ont ramassé des pierres. Des mains ont levé ces pierres et les ont jetées.

C'est bien ce que j'écris : ils ont lapidé ces enfants, jusqu'à ce qu'ils tombent ou s'en retournent. Jusqu'à ce que les mères les agrippent et les entraînent loin de nous.

Alors, j'ai su que je ne pouvais pas rester.

C'en était fini de Lilah, sœur d'Ezra.

*
* *

À mon frère j'ai demandé :

— Comment peux-tu ordonner une horreur pareille ? Ne vois-tu pas celles qui sont sur les routes ? Ne les entends-tu pas ?

Il m'a répondu que lui n'ordonnait rien, que Yhwh décidait de tout. « C'est Yhwh qui veut, ma sœur, pas Ezra. Ce n'est pas moi qui ai reçu Ses lois et Ses instructions. Je n'ai fait que les lire et les apprendre. Qui le sait mieux que toi, ma sœur ? Toi qui m'as poussé ici, jusqu'à Jérusalem, à travers le désert. Alors que je ne désirais que poursuivre mon étude. C'est toi qui es allée supplier Parysatis. C'est toi qui as couché avec le Perse pour qu'il délivre ma requête à Artaxerxès. C'est toi qui as dit à Ezra : " Allez, va ! Ta place est à

Jérusalem, ton destin est à Jérusalem, c'est la volonté de Yhwh. Il tient fermement Sa main tendue au-dessus de toi." Ce sont tes mots, Lilah. »

Oui.

C'était mes mots.

Cependant maître Baruch nous avait enseigné la bonté de Yhwh. Il chantait les mots d'Isaïe : « *Tu secourras l'opprimé, tu plaideras pour la veuve.* »

Ezra a ri en me rétorquant : « Les mots d'Isaïe, il y en a beaucoup, et de toutes sortes, ma sœur. N'était-ce pas Isaïe qui disait aussi : " *Mettez fin à l'humain, c'est un souffle du nez qui ne rime à rien ! î* »

Le visage d'Ezra était terrible.

Je n'arrivais pas à le reconnaître, sans cheveux et sans barbe. Un visage féroce, voilà ce que je pensais. Un visage qui me rappelait les fauves de Parysatis. Je m'en voulais d'une pensée pareille, mais voilà, c'était celle qui emplissait mon cœur.

Je lui demandai où était la justice de Yhwh. Il me répondit :

— Ici, ma sœur, dans Jérusalem. Et c'est elle qui nous protégera si nous en suivons toutes les règles, une à une, parfaitement.

— Je ne vois pas de justice à pousser des milliers de femmes et d'enfants dans la campagne, sans feu, ni toit, ni nourriture, répliquai-je. Nous ne sommes pas venus à Jérusalem pour cela.

Il rit.

— Mais si, Lilah, mais si ! Nous sommes venus pour que vive la Loi de Yhwh dans notre peuple. Nous la faisons vivre. Rien d'autre que ce qui est écrit dans le rouleau de Moïse. Rien d'autre !

Alors, j'ai dit à celui qui avait été mon frère bien-aimé :

— Moi, je ne peux pas. Je ne peux être avec ceux qui jettent des pierres sur des femmes et des enfants. Je ne peux pas séparer le pur et l'impur en séparant l'épouse de l'époux et les enfants du père. C'est au-dessus de mes forces. C'est au-dessus de mon amour pour Ezra. Au-dessus de mon respect pour notre Dieu. S'il faut choisir, je pars avec elles. Avec les répudiées. Avec les étrangères. Je n'ai pas d'autre place. Moïse, notre maître, n'a-t-il pas dit : « *Tu accueilleras l'étranger chez toi comme l'un des tiens, tu l'aimeras comme toi-même parce que tu as été étranger dans le pays d'Égypte.* »

Nous nous sommes regardés. Le cœur fermé l'un à l'autre. Avec cette lueur mauvaise de l'amour brisé que nous avions déjà chacun dans l'œil.

Ezra a fini par répondre :

— Si tu quittes cette maison, ma sœur, si tu quittes Jérusalem, nous ne nous reverrons plus. Tu ne reparaîtras jamais devant moi. Je t'oublierai. Je n'aurai plus de sœur et je n'en aurai jamais eu.

J'approuvai en silence, sans un mot de plus.

J'avais la nausée des mots.

Une pestilence de mots comme la pestilence des offrandes de béliers, de bœufs et de graillons qui recommençaient et jetaient leurs fumées de deuil sur les toits de Jérusalem la belle.

Sogdiam a mis sa main dans la mienne. Il m'a dit doucement :

— Ne pleure pas, je ne te quitte pas. Je ne suis pas d'ici, moi non plus. Je suis seulement de partout où tu vas.

J'ai voulu le dissuader. Là où je me rendais, il n'y aurait pas de maison, pas de confort, peu de joie et beaucoup de drames. Et certainement aucune cuisine.

— Alors il faudra que j'en construise une. Où que l'on soit, il faut une cuisine, sinon on meurt de faim !

Il riait déjà.

À Axatria j'ai demandé :

— Viens-tu avec moi ?

Elle m'a regardée, creusant les reins et relevant le menton. Elle a sifflé tel un serpent :

— Moi, je n'abandonne pas Ezra !

— Je ne l'abandonne pas, Axatria. Ezra est avec son Dieu, il est avec ses prêtres et ses dévots. Il n'est plus avec moi depuis longtemps. Comment pourrais-je abandonner celui qui s'est déjà détourné ?

— Parfois, il a besoin de toi, et tu le sais.

— Non, il n'aura plus besoin de moi. Après ce qu'il vient d'ordonner, il n'aura plus jamais besoin de l'avis de sa sœur.

— Tu vois que tu ne l'aimes pas ! Cela fait longtemps que je m'en doutais. Dans le désert, tu ne l'aimais pas. Quand nous sommes arrivés à Jérusalem, tu ne l'aimais pas. Plus il est devenu grand, plus tu l'as détesté.

À quoi bon protester ?

Je lui ai dit :

— Ces femmes et ces enfants qui sont là, dehors, qui ne savent plus où se réfugier sinon dans leur douleur, toi, tu veux les abandonner ?

— Ezra l'a répété : c'est la Loi.

— Mais pas la tienne, Axatria ! Tu es une fille du Zagros. Une étrangère tout autant qu'elles !

— Ah ! cela te plaît de me le rappeler ! Voilà un autre de tes mépris. Celui-là, je sais que tu l'as toujours éprouvé ! Ezra, lui, ne me l'a jamais fait sentir. Et si la Loi de Yhwh n'est pas celle de mon peuple, Ezra, lui, est ma loi.

— Axatria, tu déraisonnes ! Ne vois-tu pas qu'Ezra n'a jamais posé un regard d'affection et encore moins d'amour sur toi ? Que tu n'es et ne seras jamais que sa servante, ne le sais-tu pas ? Ne comprends-tu pas qu'en demeurant dans Jérusalem tu piétines ta vie et ta dignité ? Tu serviras Ezra jusqu'à ce qu'il te rejette, car viendra le jour où même ses servantes ne pourront pas être étrangères. Ne comprends-tu pas qu'en demeurant dans Jérusalem avec Ezra tu ne connaîtras jamais l'amour, n'auras jamais d'époux, jamais d'enfants ?

En réponse, elle m'a giflée.

Elle m'a poussée hors de la maison en hurlant que la jalousie s'exprimait par ma bouche.

Avec la fureur de ceux chez qui la vengeance, la peine et l'horreur de ce qu'ils sont devenus ont trop longtemps fermenté, elle a jeté mon peu de biens hors de cette maison qui, un temps, avait été la mienne.

Et voilà. Je suis une répudiée, comme les autres.

Mais je n'ai pas quitté Jérusalem comme les autres.

Pendant que je me disputais avec Axatria, Sogdiam s'était débrouillé pour faire savoir dans toutes les maisons amies que je partais.

De sa démarche claudicante il a couru d'une porte à l'autre.

— Lilah s'en va rejoindre les femmes et les enfants du dehors. Et moi je vais avec elle !

Ce fut comme une huile qui attend la flamme. La tristesse et la honte qui maceraient dans les cœurs depuis le jour de la lapidation s'embrasèrent.

En moins de temps qu'il ne faut pour le dire, vingt chariots furent remplis et autant de mules furent attelées pour les tirer. Les anciens époux donnaient des tentes, des draps et des piquets... Ils donnaient en pleurant et, s'il avaient pu, ils auraient offert leur larmes en guise de vin doux.

Les épouses juives donnaient et donnaient.

Les enfants proposaient leurs vêtements et leurs jouets en souvenir de ceux qui avaient été leurs compagnons de jeux.

Il y eut deux hommes qui donnèrent plus encore : eux-mêmes. Que leurs noms ici soient écrits et que Yhwh, s'Il le veut, les bénisse.

C'étaient Yahezya et Jonathan.

Car quand les chariots furent alignés à l'extérieur de Jérusalem, il fut bien évident que j'aurais du mal à les conduire avec Sogdiam pour seul soutien. Alors Yahezya a dit :

— Je t'accompagne. De toute façon, ici, dans Jérusalem, je n'arriverai pas à vivre et à travailler dans ma menuiserie en pensant à vous toutes.

Jonathan a ajouté, les yeux noyés de larmes.

— Mon épouse est là-bas, je ne sais où. Elle a le ventre gros de trois mois. Il m'est impossible de ne plus la voir. Impossible d'ignorer si mon enfant est une fille ou un garçon. Je te suis, Lilah.

Il s'est tourné vers les dizaines d'autres qui étaient comme lui. Il leur a crié :

— Vous aussi, suivez-nous !

Ils ont baissé le front et ont pleuré.

Mais pendant les jours suivants, beaucoup sont venus dans la campagne apporter de la nourriture et embrasser leurs anciennes épouses et leurs enfants.

Puis Ezra a décrété que cela était interdit. Ni vêtements, ni nourritures, ni chariots. Car ce qui était dans

Jérusalem était le fruit du peuple de Yhwh, et ce fruit ne pouvait devenir nourriture et semence pour les étrangères.

D'abord, il nous a fallu rassembler les unes et les autres, agrippées à leurs enfants et éparpillées sur la terre de Judée.

Certaines étaient déjà allées frapper à la porte de leurs pères et de leurs frères. Maintenant, elles pleuraient sur leur sort en maudissant Jérusalem et en se maudissant, elles-mêmes et leur progéniture : pour avoir épousé des Juifs, elles étaient devenues impures dans la maison de leurs pères.

Jusqu'à la première pluie d'automne, il nous a fallu chaque jour errer dans la campagne à la recherche de celles qui se cachaient dans les buissons et les trous, telles des gazelles protégeant leurs petits.

Nous sommes descendus vers le sud, où Jonathan connaissait une terre assez vaste et assez sèche pour y établir un camp. Quelle servitude ! Dresser des tentes, panser les plaies du corps, ramasser les herbes pour soigner les maladies déjà nombreuses des enfants, accoucher les femmes enceintes, donner à manger... Et puis, déjà, des disputes, des jalousies, des désespoirs...

Et les hommes de Guersheme qui galopent sur nous un jour de ciel gris.

Oh ! quelle aubaine pour eux que ces femmes sans époux ni défense !

Ils ne se gênent pas. Ils prennent. Ils ouvrent les cuisses, ils prennent. Ils ouvrent les ventres, ils forcent les sexes encore immaculés.

Ils violent. Ils violent à tour de reins.

Ils tuent celles qui résistent.

Les vieilles qui leur tirent les cheveux pendant qu'ils prennent les filles comme ils prendraient des chèvres, ils les éventrent.

Les enfants qui veulent défendre leurs mères, ils leur tranchent la gorge.

À Jonathan qui se bat pour défendre son épouse qui n'a pas encore enfanté, ils ouvrent le cou.

À elle, ils ouvrent le ventre et brandissent son fruit sanglant.

Ils rient et hurlent :

— À nous le festin des répudiées de Jérusalem !

Ils entravent les plus belles, les plus jeunes. Ils les entravent tel un troupeau de chamelles et ils les tirent derrière eux jusque dans leur désert.

Cela devait arriver.

Il ne s'écoulait de jour et de nuit sans que nous ayons la terreur que cela arrivât.

Dans Jérusalem, ils savaient que cela se passerait ainsi. En répudiant, ils le savaient.

Et Yhwh, mon Dieu, le savait.

Cette nuit, un peu avant l'aube, Sogdiam est mort.

On m'a dit que son chariot s'est retourné sur lui et l'a écrasé. On dit qu'il n'a pas souffert trop longtemps.

Sogdiam, mon Sogdiam est mort.

Les morts, il est vrai, sont nombreux.

On m'a dit que Sogdiam rapportait un chariot plein de grains. Ce trajet de nuit depuis Jérusalem, il l'accomplissait de plus en plus souvent. Il y a encore des hommes, là-bas, qui veulent bien nous donner un peu de nourriture. Du grain ou des légumes pour que les anciennes épouses et les enfants ne meurent pas complètement de faim. Mais, la nuit, la route de Béthanie est mauvaise et dangereuse. Les pluies d'automne l'ont ravinée. Peut-être n'était-ce pas la pluie, mais ceux de Guersheme ou de Toviyyah ? L'un et l'autre ne manquent pas une occasion de nous dépouiller ou de nous massacrer.

Je n'ai pas pensé à demander si le grain avait été volé. Si Sogdiam était mort pour rien.

Mon Sogdiam est mort !

Je voudrais pleurer et ne pleure pas. Mes mains sont froides, mes pieds sont glacés. Peut-être mon cœur s'est-il figé lui aussi ?

Je suis agrippée à mon calame et j'écris.

Je dois te paraître confuse, à présent, Antinoès, mon époux. Je mélange le passé et le présent. C'est à cause de la mort de Sogdiam.

Mais il est vrai aussi que mon esprit, mon cœur, mon corps, tout est devenu confusion.

Hier, vers la fin du jour, Sogdiam a passé un long moment en silence près de moi. Il m'a dit sur un ton de reproche :

— Tu écris, tu écris ! Tu passes ton temps à écrire comme un scribe. Et qui va lire tes secrets ?

Je lui ai répondu :

— Toi.

Il m'a regardée comme si nous dansions sous le drap des épousailles. Sa chaleur était près de moi. Sa vie déhanchée. Il suffisait que nos regards se croisent une fois dans la journée pour que je respire mieux. Quand il dormait, ses yeux souriaient.

Oh ! mon Sogdiam qui nous nourrissait comme une mère ! Un garçon de seize ans à peine. Un enfant devenu homme. Et que j'ai emporté dans le tourbillon de ma confusion en poussant Ezra vers Jérusalem !

Sogdiam, mon bien-aimé enfant !

Ce n'est pas vrai que j'écris cette lettre pour Antinoès. Je le sais, et ce serait un mensonge que de le maintenir. Antinoès, mon époux, ne me lira pas. Sogdiam ne lui portera pas ce rouleau de papyrus dans un étui de cuir accroché à son cou d'enfant infirme et si beau.

Antinoès est loin. Il n'est plus qu'une pensée qui me déchire le ventre si une fois encore j'écris son nom.

Il est loin, loin comme la vie que je n'ai pas voulue, pas choisie, pas acceptée. Il m'a oubliée. Il serre une femme dans ses bras à l'instant où cette encre glisse du calame et pénètre la peau du papyrus !

Voilà la vérité.

Plus d'époux, je n'ai plus d'époux. Je n'ai plus de Sogdiam.

Voilà la vérité.

J'écris cette lettre comme j'ai écrit, il y a longtemps, une nuit, dans ma chambre de Suse, en suppliant Yhwh. En demandant : « Ô, Yhwh, pourquoi cessons-nous d'être des enfants ? »

Ô Yhwh, pourquoi Sogdiam n'a-t-il pu mener une existence d'enfant ? Pourquoi cette mort ? Pourquoi dois-je devenir froide, n'être plus qu'une main qui écrit pour que Tu entendes une autre voix que celles qui crient aujourd'hui dans Jérusalem ?

Pourquoi tant d'interrogations blessées, tant de questions douloureuses ?

*
**

L'humain est humilié,
l'homme est à bas, ne le relève pas
cache-toi dans la pierre,
réfugie-toi dans la poussière,
terrifié que tu es par Yhwh
par sa grandeur éclatante.

274

Voilà enfin que l'arrogant œil humain s'abaisse
que la superbe des hommes va plier.
Yhwh seul sera tenu en haut, ce jour-là.

Cela aussi est l'une des nombreuses paroles d'Isaïe.

Elles me montent souvent aux lèvres sans que je sache si elles sont bonnes pour nous ou pas. Elles me viennent comme vient la colère des nuages qui fuient au-dessus de nos têtes, poussés par les sifflements du vent du nord.

Je les ai chantées tout à l'heure sur la tombe de Sogdiam, mon enfant.

Toutes celles qui m'entouraient les ont reprises avec moi. Ce n'était pas aussi beau que notre chant de la porte des Eaux, mais cela a vibré dans l'air désolé qui nous entoure.

Il est vrai aussi que nous sommes épuisées de chanter pour ceux que nous enterrons.

Tout comme mes doigts sont usés et encornés par le calame.

Chez les plus vieilles d'entre nous, le désir est grand de se coucher n'importe où sur le sol et de s'endormir enfin, dans l'oubli éternel qui nous recouvrira bientôt. Je l'ai vu dans leurs yeux, tout à l'heure, quand la terre a recouvert Sogdiam. Et j'ai été surprise d'éprouver le même désir, moi qui n'ai pas vingt-cinq ans.

De temps à autre, je porte le dos de ma main à mes lèvres. C'est là que Sogdiam m'a touchée pour la dernière fois. Mais ma peau n'en conserve plus le souvenir.

*
**

Yahezya a été blessé au ventre, mais il peut encore parler et nous conduire. Il nous a demandé de rassembler celles qui demeuraient en vie.

Il a dit que nous devions aller près de la mer de l'Araba. Qu'il y avait là-bas des grottes, des lieux plus faciles à défendre qu'un champ ouvert. Il en connaissait le chemin. Il nous y a menées. Il a lutté pour respirer jusqu'à ce que nous puissions apercevoir les falaises de Qumrān et les dizaines de grottes.

Voilà où nous sommes aujourd'hui.

Sans terre à cultiver, mais protégées par les murs que nous avons dressés devant les grottes.

Voilà où nous sommes aujourd'hui, terrées comme les lapins du désert.

Autrefois, Sogdiam pouvait parfois nous obtenir du grain de Jérusalem.

Mais Sogdiam est mort sous son chariot.

De temps à autre, des anciens époux sont venus, de nuit, voir leurs enfants et pleurer dans leurs bras.

Mais beaucoup n'avaient plus de femmes. Mortes ou bien dans les bras de ceux de Guersheme, voilà où elles étaient.

Quelquefois, les anciens époux sont venus caresser leurs épouses répudiées. Ils ont fait des gestes qui rappelaient les temps de l'amour.

Puis ils sont repartis.

Dans la tête et le corps des femmes, ces caresses et cet amour se sont effacés comme s'est effacé le souvenir d'Antinoès dans la tête et le corps de Lilah.

Pour nous, les épouses répudiées, je le dis et je l'écris : « Le temps est mort. »

Yhwh nous a poussées dehors et le temps, pour nous, est mort.

C'est la vérité que dit Lilah, fille de Serayah.

Ce que j'écris, moi, Lilah, nul ne le lira. Mes mots n'appartiennent ni aux sages, ni aux prophètes, ni à Ezra. Ils disparaîtront dans le sable des grottes de Qumrān.

Mais je l'écris car il faut que des mots le répètent : ces femmes et ces épouses étaient innocentes.

Leurs enfants n'étaient pas coupables.

Je l'écris : cette injustice pèsera sur l'homme jusqu'à la nuit des temps.

Épilogue

Un peu plus d'une année après que les épouses étrangères furent repoussées hors de Jérusalem, un habitant vint trouver Ezra devant le Temple. C'était après l'offrande du soir.

Il lui dit :

— J'ai appris que ta sœur Lilah est morte hier.

Ezra se raidit, comme s'il lui fallait raviver un souvenir éteint depuis longtemps pour comprendre les paroles de l'homme.

Puis il demanda où elle était morte et quand il obtint la réponse, il remercia le messager et retourna à sa tâche. En ce temps-là, elle était lourde, car il établissait, un à un, les noms et les responsabilités des prêtres, des lévites, des portiers du Temple, de ceux qui sonnent la trompe et encore d'autres, dans l'ordre des pères et des princes depuis le règne de David et de Salomon.

Mais au matin suivant, avant l'aube, il réveilla dix jeunes dévots.

— Venez avec moi. Ma sœur est morte près de la mer de l'Araba. Elle n'était plus une femme de Jérusalem, mais elle était ma sœur. Il est de mon devoir qu'elle soit enterrée selon la Loi. Et si je n'y vais pas, qui ira ?

Ils prirent des mules et traversèrent la ville silencieuse. En trottant pour gagner du temps et être de

279

retour avant le soir, ils empruntèrent le chemin de Béthanie et filèrent en direction des plateaux de cendres rouges, de sel et de cailloux qui surplombaient une vaste vallée désolée entourant la mer de l'Araba.

En s'approchant du rebord du plateau, Ezra perçut un étrange bourdonnement. Comme si des milliers et des milliers d'abeilles s'agitaient sur un champ de fleurs.

Il fronça les sourcils, inquiet. Songeant que Yhwh s'apprêtait peut-être à lui montrer quelque chose d'inouï.

Ce qu'il vit quand il aborda le chemin qui descendait vers la plaine, ce qui lui ouvrit les yeux et la bouche en grand, c'est un tapis de fleurs humaines, de toutes les couleurs, comme celui qu'il avait découvert, un jour lointain, devant la porte des Eaux à Jérusalem.

Ils étaient là, par milliers. Non seulement les épouses répudiées et leurs enfants, mais ceux de la ville. Ils étaient tous là, chantant d'une même voix pour enterrer Lilah, sa sœur, dans la poussière.

Une infinité d'hommes et de femmes, d'enfants et de vieillards qui, en chœur, et sans attendre la permission d'Ezra, chantait les mots d'Isaïe que Lilah aimait tant :

> *Voici que je libère pour elle*
> *une rivière de paix,*
> *un fleuve en crue,*
> *tout le poids des nations*

Les compagnons d'Ezra, surpris, s'immobilisèrent.

Il s'avança seul sur le chemin, le visage impassible. Puis il s'immobilisa à son tour.

Ses mains tremblèrent. De la foule assemblée montait vers lui le souffle trépidant du chant d'Isaïe. Un instant, il lui sembla que les mots frappaient ses joues durcies par les jeûnes, le soleil et le vent du désert. Son regard vacilla sur l'immensité humaine.

Dans les chants, si puissants qu'ils faisaient vibrer les pierres de la falaise derrière lui, il perçut la voix de Lilah. Il entendit son rire. Et les explosions de sa colère.

Il la vit poser ses paumes sur les siennes comme elle le faisait autrefois à Suse, il y avait longtemps, très longtemps, quand ils étaient tous les trois ensemble : Antinoès, Ezra et Lilah.

Il saisit un chuchotement à son oreille : « *Tu es Ezra, mon frère bien-aimé. Va, reconduis ton peuple à Jérusalem ! Remonte les murs du Temple !* » Et il se surprit à répondre : « *Lilah ! As-tu l'ambition de m'enseigner la sagesse ?* »

Des larmes encore jamais versées coulèrent sur ses joues. Son corps fatigué s'affaissa de honte. Sans qu'il s'en rendît compte il se mit à courir vers la foule. Comme elle, comme les milliers, comme les femmes chassées de Jérusalem, il chanta la promesse d'Isaïe :

Vous téterez, portés sur la hanche, vous vous agiterez sur les genoux,
Comme une mère console un homme, je vous consolerai...

Personne ne lui prêta attention.

Remerciements

Ce livre n'aurait pas vu le jour sans le concours et l'amitié de : Nicole Lattès, Nathalie Théry, Susanna Lea, Clara Halter, Olivia Cattan, Cristina Canet, et Leonello Brandolini.

Qu'ils en soient remerciés.

TABLE DES MATIÈRES

Les citations sont tirées de la Bible, nouvelle traduction, éditions Bayard.

Impression réalisée sur Presse Offset par

BRODARD & TAUPIN

GROUPE CPI

28462 – La Flèche (Sarthe), le 18-02-2005
Dépôt légal : mars 2005

POCKET – 12, avenue d'Italie - 75627 Paris cedex 13
Tél. : 01.44.16.05.00

Imprimé en France